하루 한 장 75일
집중 완성

교과 연산

D3

초4 소수의 덧셈과 뺄셈

변화를 정확히 이해해야 합니다.

수학의 기본이면서 이제는 필수가 된 연산 학습, 그런데 왜 우리 아이들은 많은 학습지를 풀고도 학교에 가면 연산 문제를 해결하지 못할까요?
지금 우리 아이들이 학습하는 교과서는 과거와는 많이 다릅니다. 단순 계산력을 확인하는 문제 대신 다양한 상황을 제시하고 상황에 맞게 문제를 해결하는 과정을 평가합니다. 그래서 단순히 계산하여 답을 내는 것보다 문장을 이해하고 상황을 판단하여 스스로 식을 세우고 문제를 해결하는 복합적인 사고 과정이 필요합니다.
그림을 보고 상황을 판단하는 능력, 그림을 보고 상황을 말로 표현하는 능력, 문장을 이해하는 능력 등 상황 판단 능력을 길러야 하는 이유입니다.

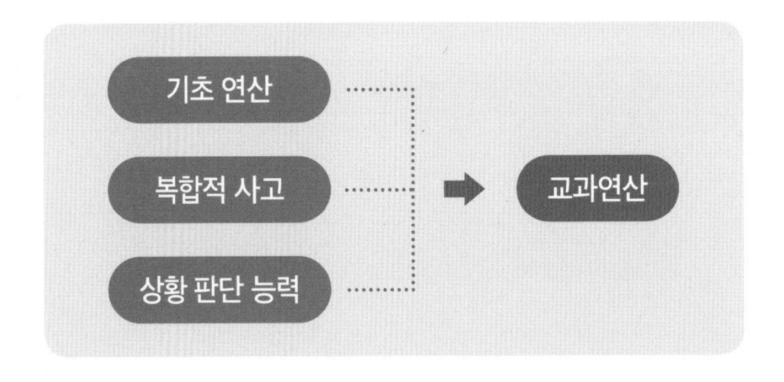

연산 원리를 학습함에 있어서도 대표적인 하나의 풀이 방법을 공식처럼 외우기만 해서는 지금의 연산 문제를 해결하기 어렵습니다. 연산 학습과 함께 다양한 방법으로 수를 분해하고 결합하는 과정, 즉 수 자체에 대한 학습도 병행되어야 합니다.
교과연산은 연산 학습과 함께 수 자체를 온전히 학습할 수 있도록 단계마다 '수특강'을 구성하고 있습니다.
계산은 문제를 해결하는 하나의 과정으로서의 의미가 큽니다.

학교에서 배우게 될 내용과 직접적으로 관련이 있는 교과연산으로 가장 먼저 시작하기를 추천드립니다.
요즘 연산은 교과 연산입니다.

"계산은 그 자체가 목적이 아닙니다. 문제를 해결하는 하나의 과정입니다."

하루 한 장, 75일에 완성하는 교과연산

한 단계는 총 4권으로 수를 학습하는 0권과 연산을 학습하는 1권, 2권, 3권으로 구성되어 있습니다.

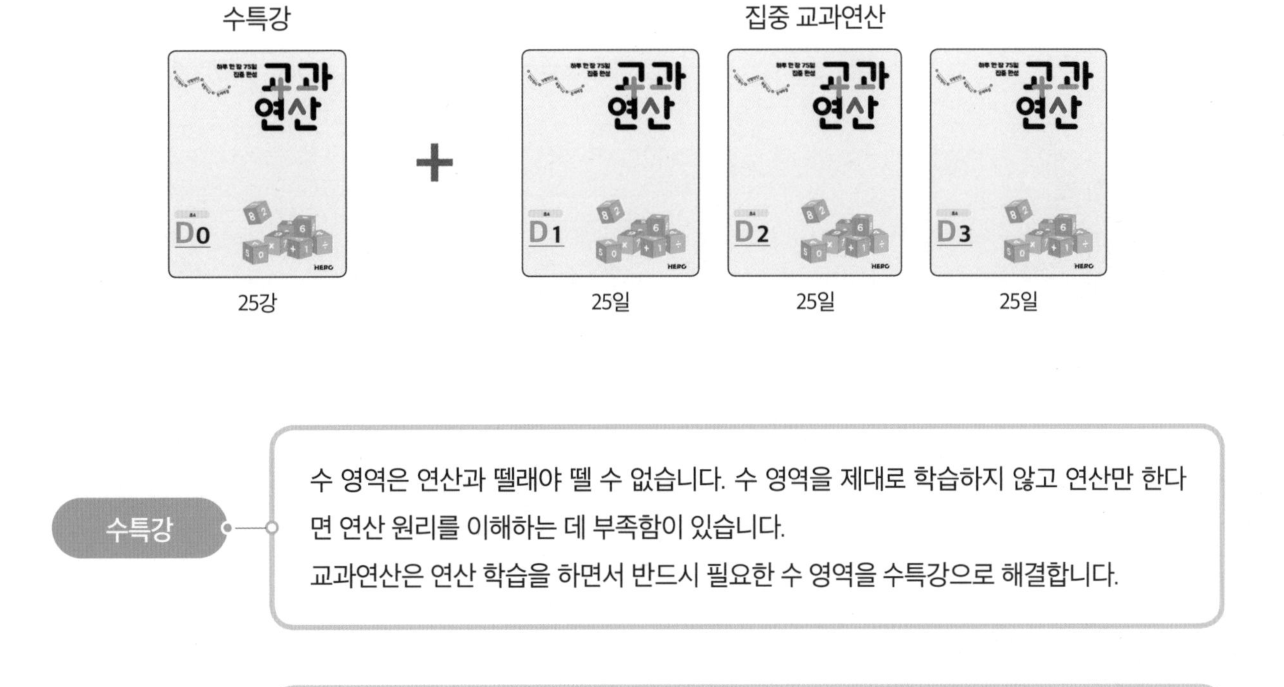

수특강

수 영역은 연산과 뗄래야 뗄 수 없습니다. 수 영역을 제대로 학습하지 않고 연산만 한다면 연산 원리를 이해하는 데 부족함이 있습니다.
교과연산은 연산 학습을 하면서 반드시 필요한 수 영역을 수특강으로 해결합니다.

교과연산

기초 연산도 합니다. 연산 원리를 이해하고 계산 연습도 합니다. 그에 더해서 교과연산은 다양한 상황 문제를 제시하여 상황에 맞는 식을 세우고 문제를 해결하는 상황 판단 능력을 길러줍니다.

"연산을 이해하기 위해서는 수를 먼저 이해해야 합니다."

원리는 **기본, 복합적 사고 문제**까지 다루는 **교과연산**

원리

수와 연산의 원리를
이해하고 연습합니다.

복합적 사고

연산 원리를 이용하여
다양한 소재의 복합적
문제를 해결합니다.

상황 판단 문제

문장 이해력을 기르고
상황에 맞는 식을 세워
문제를 해결합니다.

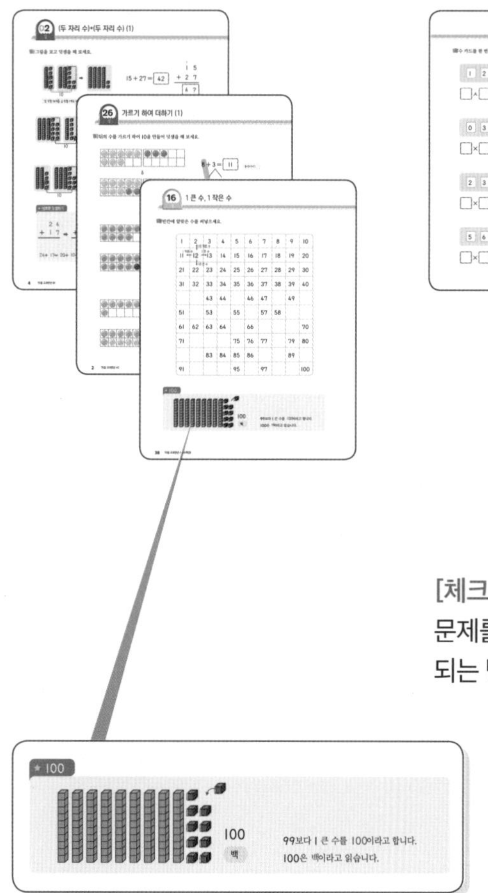

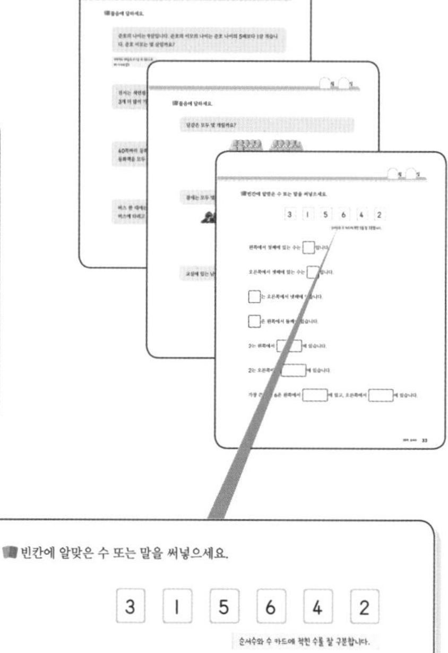

[체크 박스]
문제를 해결하는 데 도움이
되는 방향을 제시합니다.

[개념 포인트]
꼭 필요한 기본 개념을
설명합니다.

"교과연산은 꼬이고 꼬인 어려운 연산이 아닙니다.
일상 생활 속에서 상황을 판단하는 능력을 길러주는 연산입니다."

하루 **한** 장, **75**일 집중 완성 교과연산 **묻고 답하기**

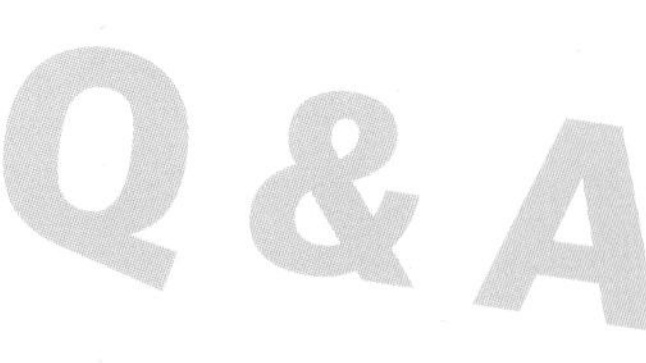

Q1 왜 교과연산인가요?

지금의 교과서는 과거의 교과서와는 많이 다릅니다. 하지만 아쉽게도 기존의 연산학습지는 과거의 연산 학습 방법을 그대로 답습하고 변화를 제대로 반영하지 못하고 있습니다. 교과연산은 교과서의 변화를 정확히 이해하고 체계적으로 학습을 할 수 있도록 안내합니다.

Q2 다른 연산 교재와 어떻게 다른가요?

교과연산은 변화된 교과서의 핵심 내용인 상황 판단 능력과 복합적 사고력을 길러주는 최신 연산 프로그램입니다. 또한 연산 학습의 바탕이 되는 '수'를 수특강으로 다루고 있어 수학의 기본이 되는 연산학습을 체계적으로 학습할 수 있습니다.

Q3 학교 진도와는 맞나요?

네, 교과연산은 학교 수업 진도와 최신 개정된 교과 단원에 맞추어 개발하였습니다.

Q4 단계 선택은 어떻게 해야 할까요?

권장 연령의 학습을 추천합니다.
다만, 처음 교과 연산을 시작하는 학생이라면 한 단계 낮추어 시작하는 것도 좋습니다.

Q5 '수특강'을 먼저 해야 하나요?

'수특강'을 가장 먼저 학습하는 것을 권장합니다. P단계를 예로 들어보면 P0(수특강)을 먼저 학습한 후 차례대로 P1~P3 학습을 진행합니다. '수특강'은 각 단계의 연산 원리와 개념을 정확하게 이해하고 상황 문제를 해결하는 데 디딤돌이 되어줄 것입니다.

이 책의 차례

51일~55일

1주차 소수 두 자리 수

1보다 작은 소수

전체 크기가 1인 모눈종이 위에 색칠된 부분의 크기를 소수로 나타내어 보세요.

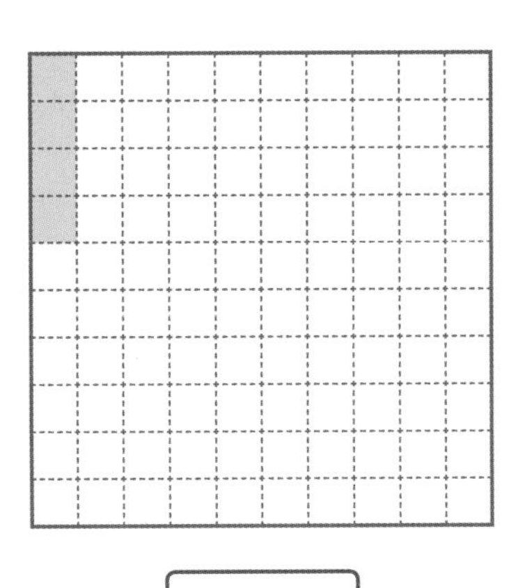

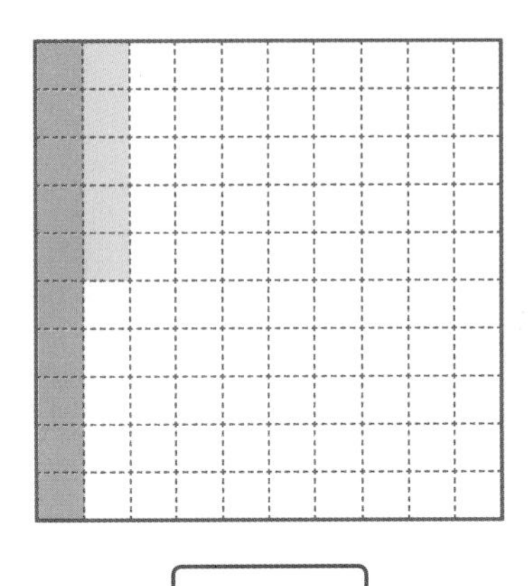

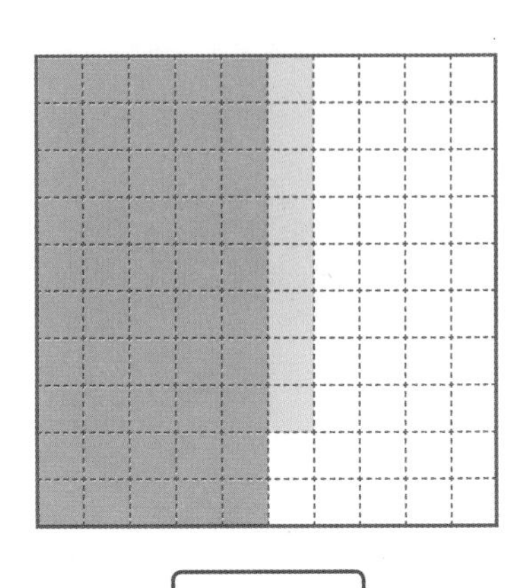

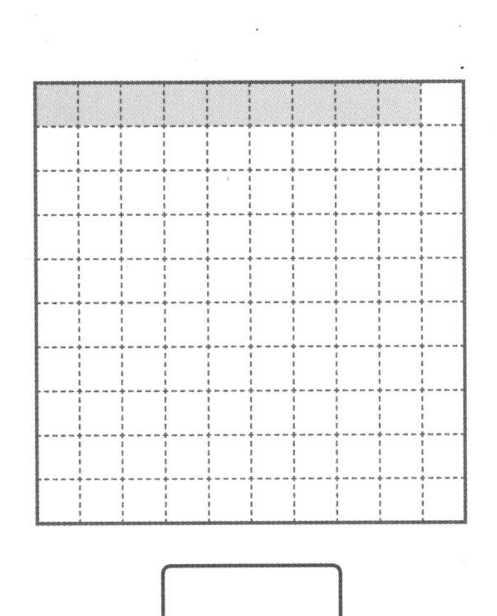

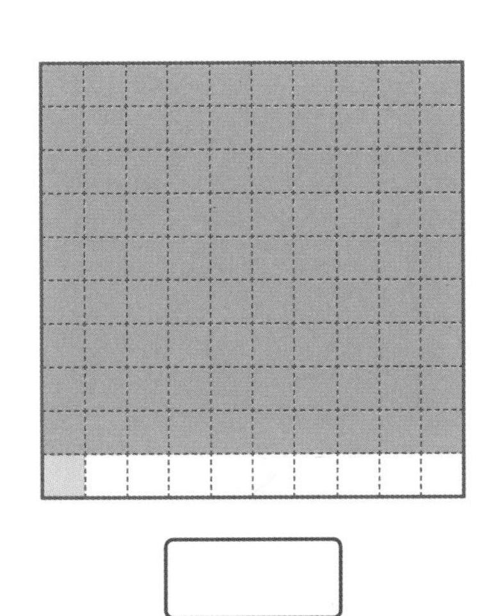

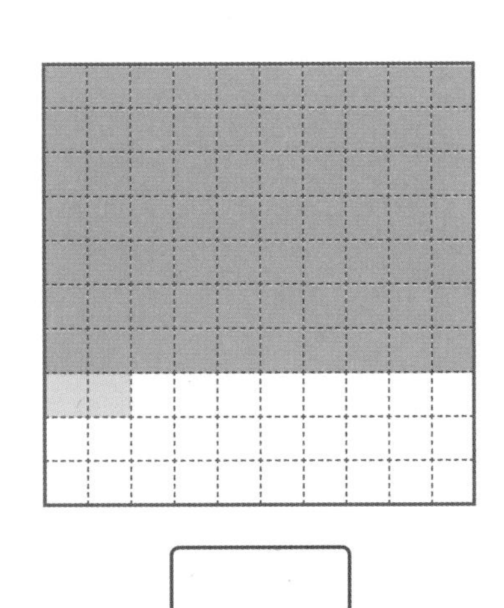

★ 소수 두 자리 수 (1)

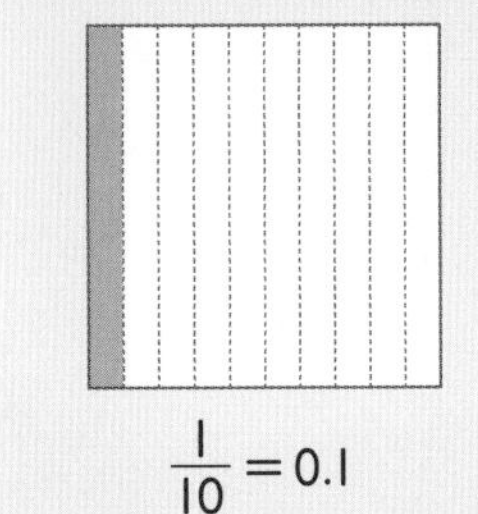

$\frac{1}{10} = 0.1$

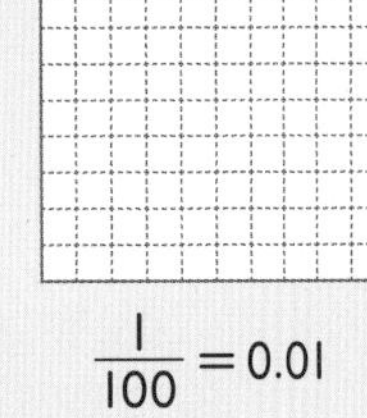

$\frac{1}{100} = 0.01$

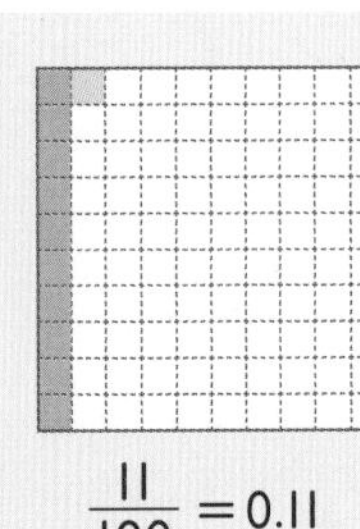

$\frac{11}{100} = 0.11$

1을 10등분한 것 중 하나는 0.1이고,
0.1을 10등분한 것 중 하나는 0.01입니다.

분수 $\frac{1}{100}$은 소수로 0.01이라 쓰고,
영 점 영일이라고 읽습니다.

월 일

소수로 나타내고 읽어 보세요.

$\frac{2}{100}$ 쓰기 ______ 읽기 ______

$\frac{39}{100}$ 쓰기 ______ 읽기 ______

$\frac{1}{100}$이 8개인 수 쓰기 ______ 읽기 ______

$\frac{1}{100}$이 42개인 수 쓰기 ______ 읽기 ______

0.01이 56개인 수 쓰기 ______ 읽기 ______

0.01이 99개인 수 쓰기 ______ 읽기 ______

★ 분수와 소수

$\frac{3}{100}$은 $\frac{1}{100}$이 3개인 수입니다. 분수 $\frac{3}{100}$은 소수로 0.03이라 쓰고, 영 점 영삼이라고 읽습니다.

$\frac{45}{100}$는 $\frac{1}{100}$이 45개인 수입니다. 분수 $\frac{45}{100}$는 소수로 0.45라 쓰고, 영 점 사오라고 읽습니다.

52 일 1보다 큰 소수

전체 크기가 1인 모눈종이 위에 색칠된 부분의 크기를 소수로 나타내어 보세요.

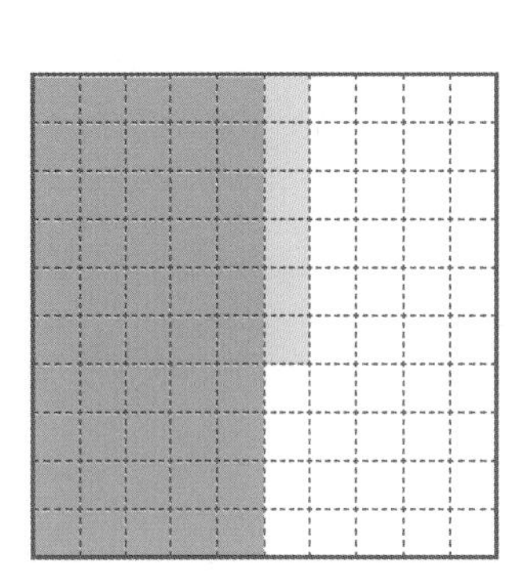

0.01이 100개이면 1입니다.

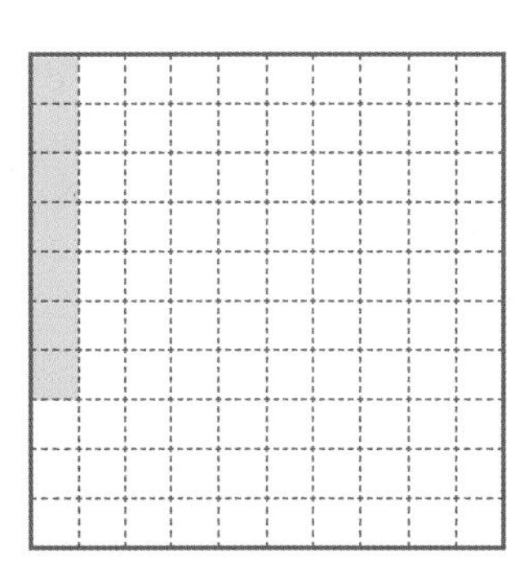

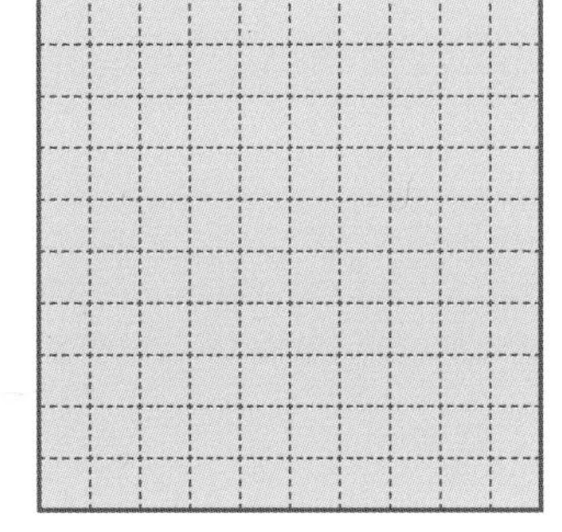

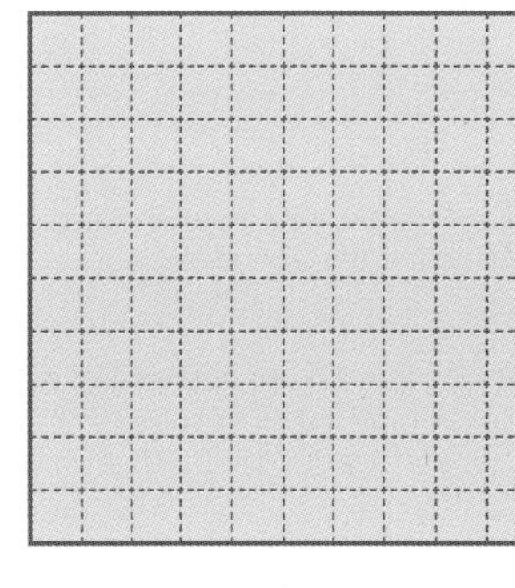

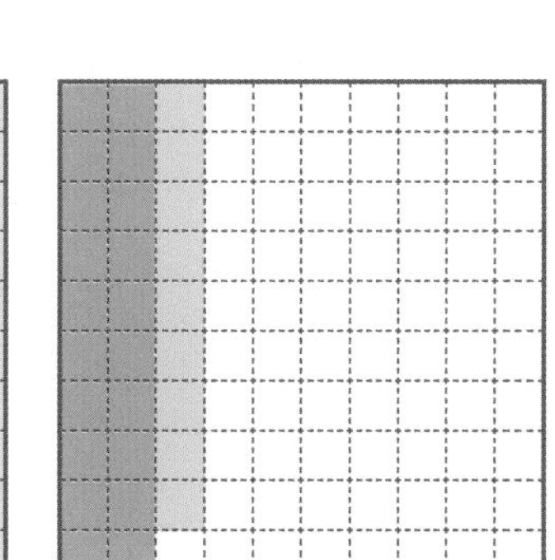

소수 두 자리 수 (2)

$1\frac{32}{100}$에서 $\frac{32}{100}$를 소수로 나타내면 0.32입니다.

$1\frac{32}{100}$는 1과 0.32이므로 소수로 1.32라 쓰고, 일 점 삼이라고 읽습니다.

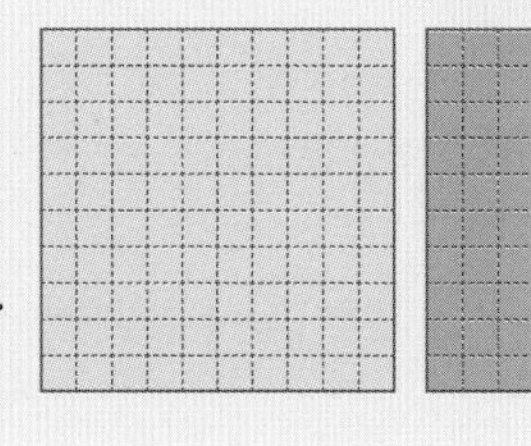

소수로 나타내고 읽어 보세요.

$1\frac{59}{100}$ 쓰기 ______ 읽기 ______

$4\frac{8}{100}$ 쓰기 ______ 읽기 ______

자연수 부분은 자연수 그대로 읽고, 소수점 아래는 모든 숫자를 각각 따로 읽습니다.

$12\frac{36}{100}$ 쓰기 ______ 읽기 ______

$35\frac{5}{100}$ 쓰기 ______ 읽기 ______

0.01이 123개인 수 쓰기 ______ 읽기 ______

0.01이 514개인 수 쓰기 ______ 읽기 ______

0.01이 209개인 수 쓰기 ______ 읽기 ______

53일 소수의 자릿값

빈칸에 알맞은 수를 써넣으세요.

7.41

7.41에서 7은 [ ]의 자리 숫자이고, [ ]을/를 나타냅니다.

4는 [ ] 자리 숫자이고, [ ]을/를 나타냅니다.

1은 [ ] 자리 숫자이고, [ ]을/를 나타냅니다.

25.93

25.93에서 십의 자리 숫자는 [ ]이고, 20을 나타냅니다.

일의 자리 숫자는 [ ]이고, [ ]을/를 나타냅니다.

소수 첫째 자리 숫자는 [ ]이고, [ ]을/를 나타냅니다.

소수 둘째 자리 숫자는 [ ]이고, [ ]을/를 나타냅니다.

★ 소수의 자릿값

일의 자리		소수 첫째 자리	소수 둘째 자리
3	.		
0	.	5	
0	.	0	2

3.52에서 3은 일의 자리 숫자이고, 3을 나타냅니다.
5는 소수 첫째 자리 숫자이고, 0.5를 나타냅니다.
2는 소수 둘째 자리 숫자이고, 0.02를 나타냅니다.

3.52는 1이 3개, 0.1이 5개, 0.01이 2개인 수입니다.

올바른 설명에 ◯표, 잘못된 설명에 ╳표 하세요.

3.45

소수 첫째 자리 숫자는 4입니다. ( )

5는 0.5를 나타냅니다. ( )

0.01이 345개인 수입니다. ( )

8은 0.08을 나타냅니다. ( )

4는 소수 둘째 자리 숫자입니다. ( )

일의 자리 숫자는 8입니다. ( )

2는 0.02를 나타냅니다. ( )

소수 첫째 자리 숫자는 9입니다. ( )

1이 9개, 0.01이 2개인 수입니다. ( )

32.76

7은 소수 첫째 자리 숫자입니다. ( )

6은 0.06을 나타냅니다. ( )

일의 자리 숫자는 3입니다. ( )

54 일 수직선 위의 소수

빈칸에 알맞은 소수를 써넣으세요.

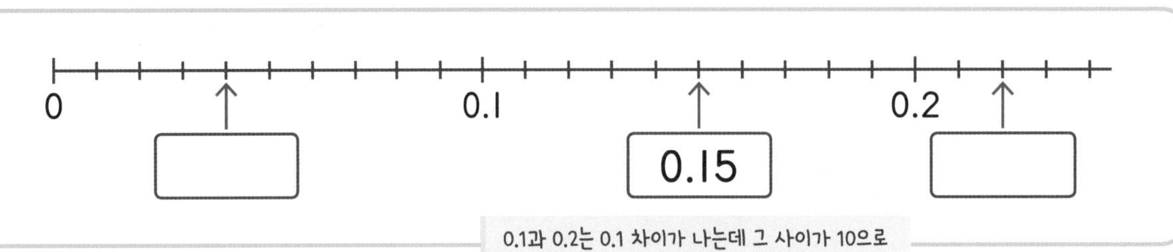

0.1과 0.2는 0.1 차이가 나는데 그 사이가 10으로 나누어졌으므로 한 칸의 크기는 0.01입니다.

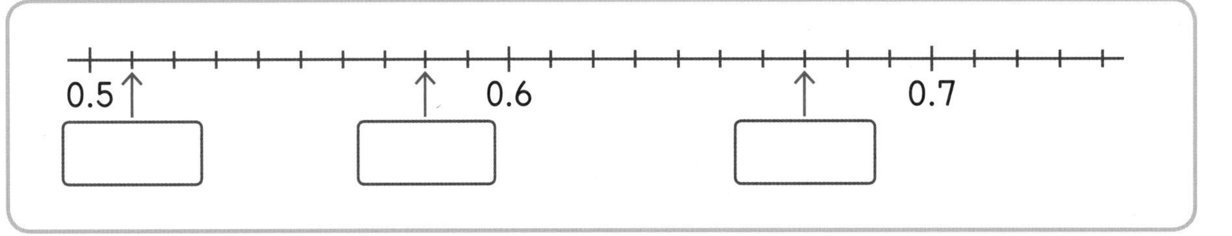

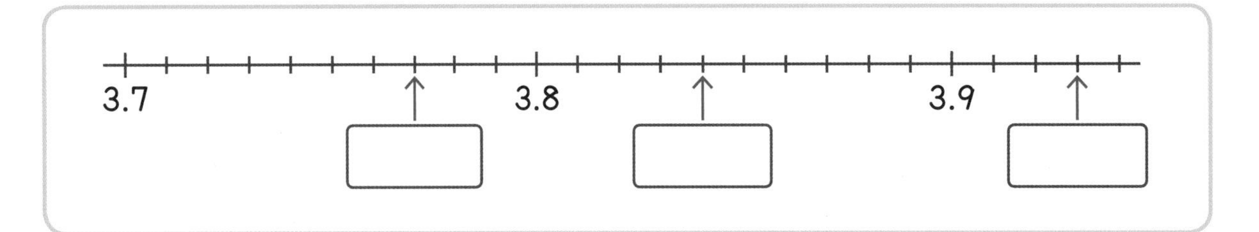

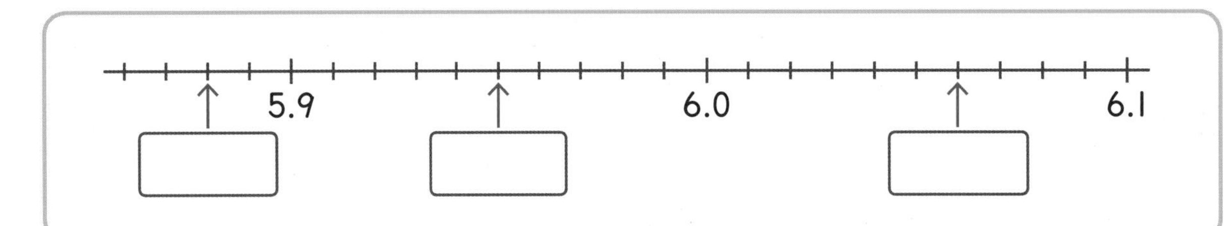

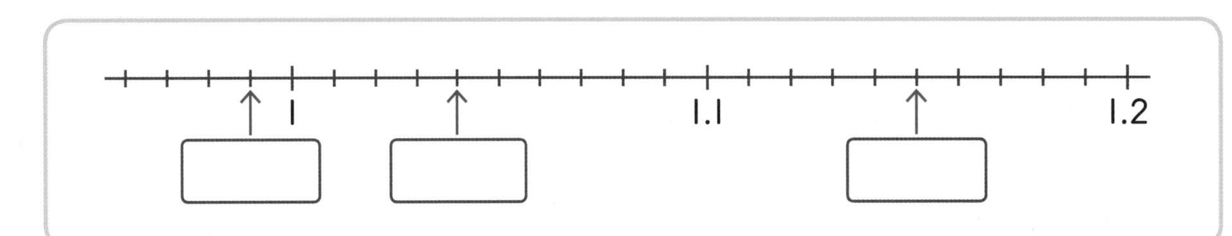

소수를 수직선에 나타내어 보세요.

0.03 0.08 0.12 0.23

0 0.1 0.2

↑ 0.03

0.95 1.01 1.07 1.12

0.9 1.0 1.1

3.28 3.33 3.39 3.43

3.3 3.4 3.5

★ 수직선과 소수

0.1

0 0.01 0.1 0.2

0.1 사이를 다시 10등분했으므로 한 칸의 크기는 0.01입니다.

소수 나타내기

빈칸에 알맞은 소수를 써넣으세요.

0.1이 5개, 0.01이 8개인 수는 [0.58] 입니다.

0.1이 5개이면 0.5,
0.01이 8개이면 0.08입니다.

1이 9개, 0.1이 6개, 0.01이 2개인 수는 [ ] 입니다.

1이 4개, 0.01이 9개인 수는 [ ] 입니다.

10이 1개, 1이 3개, 0.1이 7개, 0.01이 3개인 수는 [ ] 입니다.

1이 5개, $\frac{1}{10}$이 3개, $\frac{1}{100}$이 9개인 수는 [ ] 입니다.

10이 2개, 1이 3개, $\frac{1}{10}$이 6개, $\frac{1}{100}$이 1개인 수는 [ ] 입니다.

일의 자리 숫자가 2, 소수 첫째 자리 숫자가 0, 소수 둘째 자리 숫자가 4인 수는 [ ] 입니다.

십의 자리 숫자가 5, 일의 자리 숫자가 0, 소수 첫째 자리 숫자가 1, 소수 둘째 자리 숫자가 2인 수는 [ ] 입니다.

빈칸에 알맞은 소수를 써넣으세요.

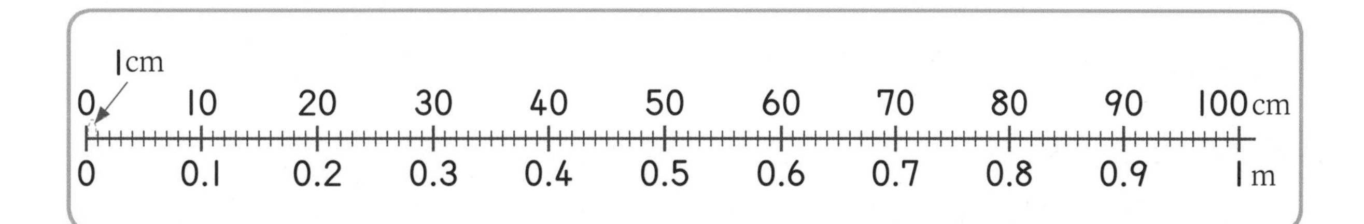

10cm는 ☐m입니다.

10cm는 $\frac{1}{10}$m, 1cm는 $\frac{1}{100}$m입니다.

1cm는 ☐m입니다.

7cm는 ☐m입니다.

64cm는 ☐m입니다.

25cm는 ☐m입니다.

98cm는 ☐m입니다.

1m 38cm는 ☐m입니다.

2m 6cm는 ☐m입니다.

126cm는 ☐m입니다.

126cm는 1m 26cm입니다.

375cm는 ☐m입니다.

막대의 길이를 cm와 m로 각각 나타내어 보세요.

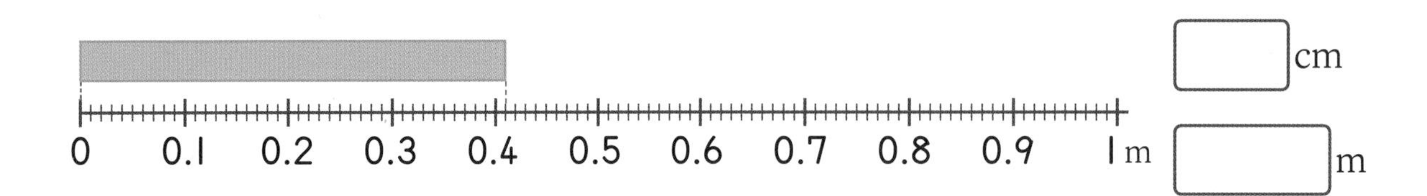

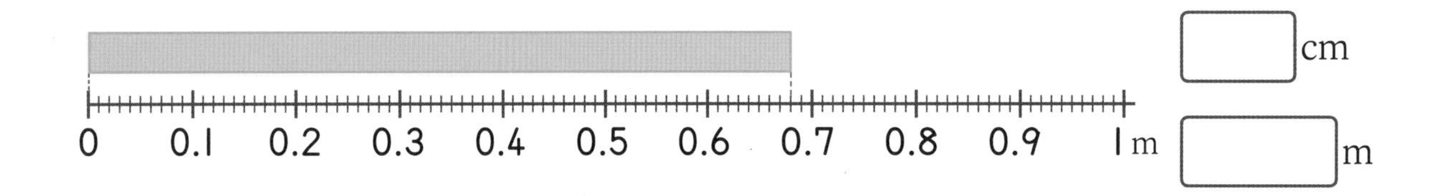

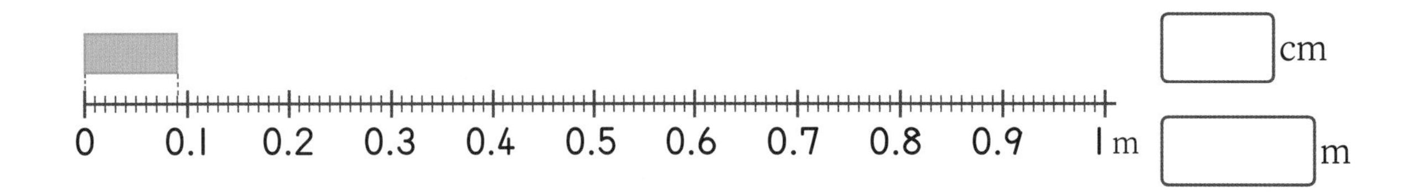

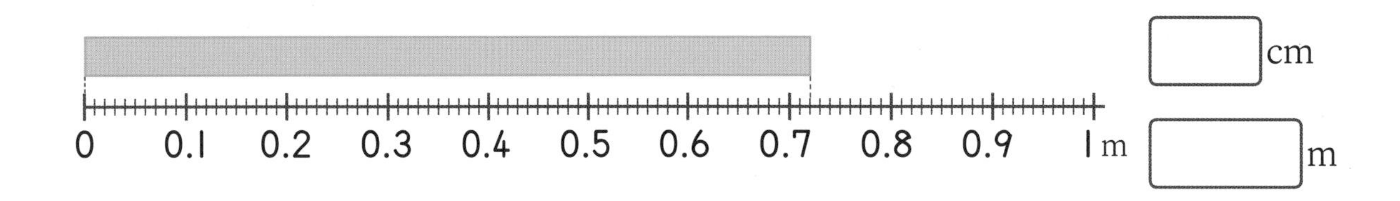

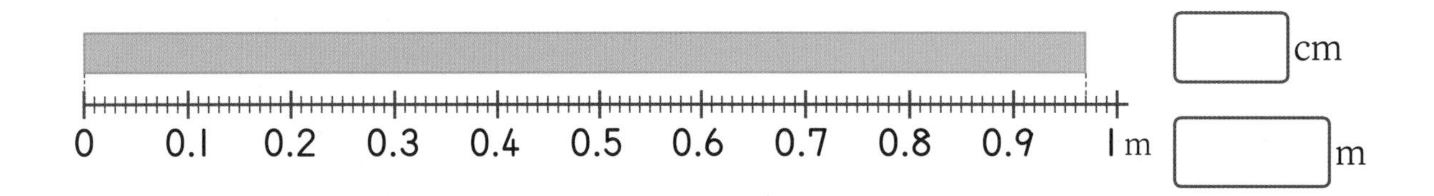

56일 ~ 60일

2주차 소수 세 자리 수

56일 1보다 작은 소수

전체 크기가 1인 모눈종이 위에 색칠된 부분의 크기를 소수로 나타내어 보세요.

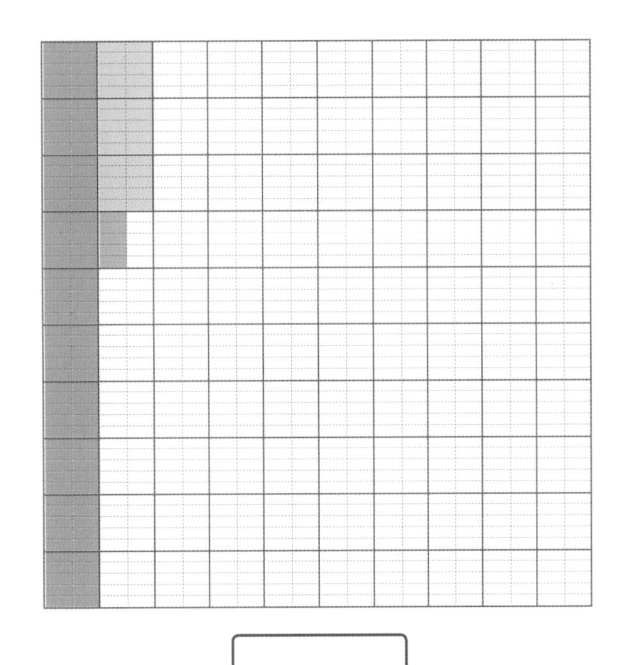

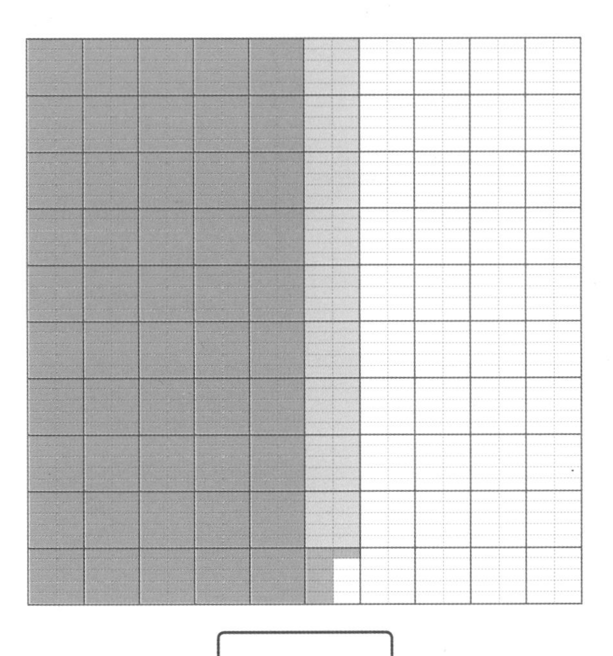

전체를 10으로 나누면 0.1, 100으로 나누면 0.01, 1000으로 나누면 0.001입니다.

★ 소수 세 자리 수 (1)

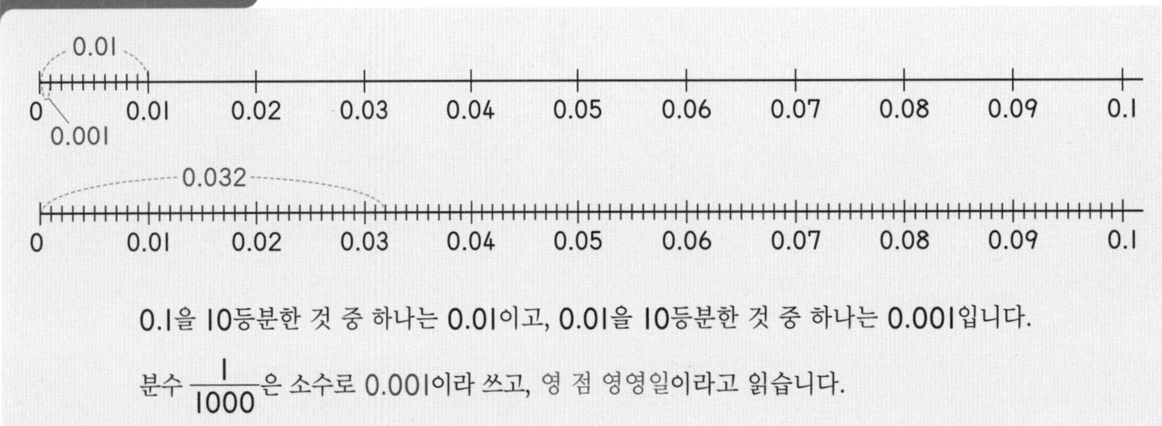

0.1을 10등분한 것 중 하나는 0.01이고, 0.01을 10등분한 것 중 하나는 0.001입니다.

분수 $\frac{1}{1000}$은 소수로 0.001이라 쓰고, 영 점 영영일이라고 읽습니다.

소수로 나타내고 읽어 보세요.

$\frac{5}{1000}$ 쓰기 ______ 읽기 ______

$\frac{42}{1000}$ 쓰기 ______ 읽기 ______

$\frac{296}{1000}$ 쓰기 ______ 읽기 ______

$\frac{1}{1000}$이 99개인 수 쓰기 ______ 읽기 ______

$\frac{1}{1000}$이 183개인 수 쓰기 ______ 읽기 ______

0.001이 267개인 수 쓰기 ______ 읽기 ______

★ 분수와 소수

$\frac{7}{1000}$은 $\frac{1}{1000}$이 7개인 수입니다. 분수 $\frac{7}{1000}$은 소수로 0.007이라 쓰고, 영 점 영영칠이라고 읽습니다.

$\frac{65}{1000}$는 $\frac{1}{1000}$이 65개인 수입니다. 분수 $\frac{65}{1000}$는 소수로 0.065라 쓰고, 영 점 영육오라고 읽습니다.

$\frac{123}{1000}$은 $\frac{1}{1000}$이 123개인 수입니다. 분수 $\frac{123}{1000}$은 소수로 0.123이라 쓰고, 영 점 일이삼이라고 읽습니다.

57일 1보다 큰 소수

빈칸에 알맞은 소수를 써넣으세요.

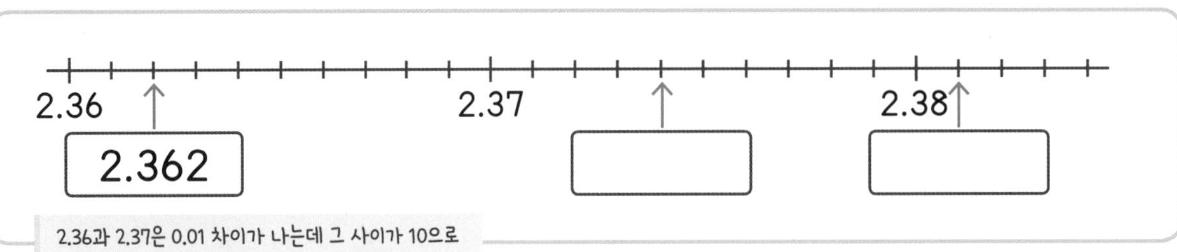

2.36과 2.37은 0.01 차이가 나는데 그 사이가 10으로 나누어졌으므로 한 칸의 크기는 0.001입니다.

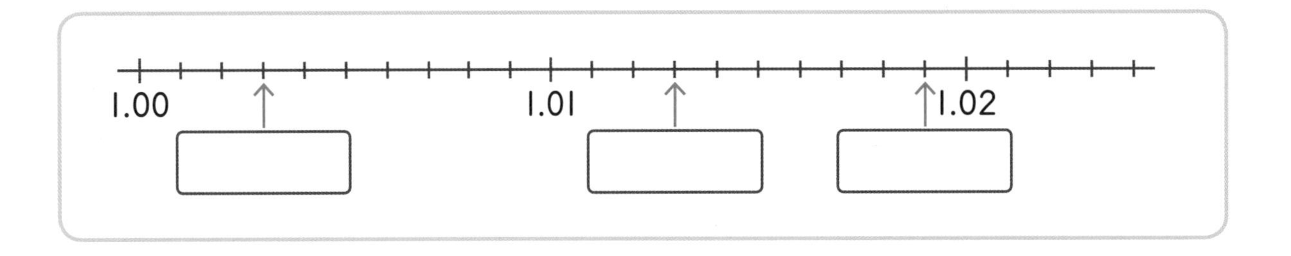

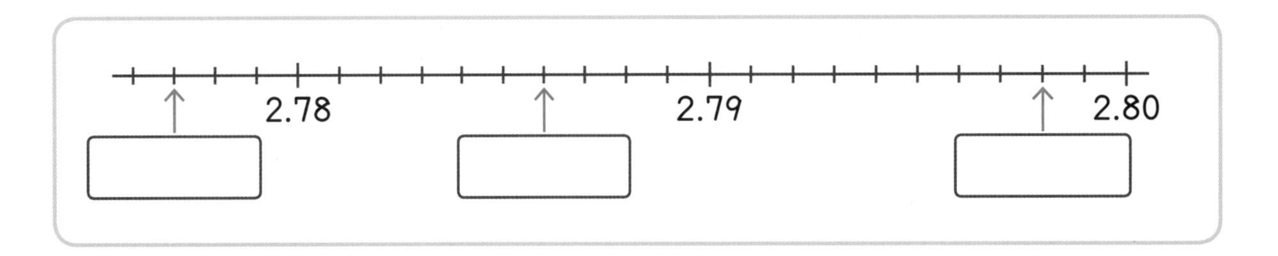

★ 소수 세 자리 수 (2)

$5\frac{625}{1000}$는 5와 0.625이므로 소수로 5.625라 쓰고, 오 점 육이오라고 읽습니다.

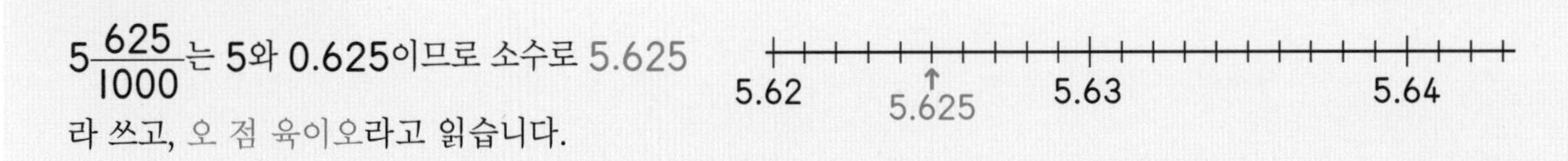

5.625는 5.62와 5.63 사이에 있습니다. 5.62와 5.63 사이를 10등분했으므로 한 칸의 크기는 0.001이고, 5.625는 5.62에서 5칸 더 간 위치에 있습니다.

소수를 바르게 읽은 것에 ◯표 하세요.

1.357
일 점 삼오칠
일 점 삼백오십칠

5.785
오십칠 점 팔오
오 점 칠팔오

1.005
일 점 오
일 점 영영오

4.903
사 점 구삼
사 점 구영삼

8.081
팔 점 영팔일
팔 점 팔십일

2.404
이 점 사백사
이 점 사영사

52.543
오이 점 오사삼
오십이 점 오사삼

99.809
구십구 점 팔백구
구십구 점 팔영구

40.056
사십 점 영오육
사영 점 영오육

58 일 소수의 자릿값 (1)

빈칸에 알맞은 수를 써넣으세요.

1.953

1.953에서 1은 일의 자리 숫자이고, 1을 나타냅니다.

9는 ☐ 자리 숫자이고, ☐ 을/를 나타냅니다.

5는 ☐ 자리 숫자이고, ☐ 을/를 나타냅니다.

3은 ☐ 자리 숫자이고, ☐ 을/를 나타냅니다.

3.756

3.756에서 일의 자리 숫자는 ☐ 이고, ☐ 을/를 나타냅니다.

소수 첫째 자리 숫자는 ☐ 이고, ☐ 을/를 나타냅니다.

소수 둘째 자리 숫자는 ☐ 이고, ☐ 을/를 나타냅니다.

소수 셋째 자리 숫자는 ☐ 이고, ☐ 을/를 나타냅니다.

★ 소수의 자릿값

일의 자리		소수 첫째 자리	소수 둘째 자리	소수 셋째 자리
7	.			
0	.	3		
0	.	0	1	
0	.	0	0	4

7.314에서
7은 일의 자리 숫자이고, 7을 나타냅니다.
3은 소수 첫째 자리 숫자이고, 0.3을 나타냅니다.
1은 소수 둘째 자리 숫자이고, 0.01을 나타냅니다.
4는 소수 셋째 자리 숫자이고, 0.004를 나타냅니다.

7.314는 1이 7개, 0.1이 3개, 0.01이 1개, 0.001이 4개인 수입니다.

■ 올바른 설명에 ○표, 잘못된 설명에 ╳표 하세요.

0.321

소수 첫째 자리 숫자는 3입니다. ( )

1은 0.01을 나타냅니다. ( )

0.001이 321개인 수입니다. ( )

8은 0.8을 나타냅니다. ( )

소수 둘째 자리 숫자는 6입니다. ( )

6은 0.006을 나타냅니다. ( )

9는 소수 셋째 자리 숫자입니다. ( )

1은 0.1을 나타냅니다. ( )

0.001이 109개인 수입니다. ( )

25.473

7은 소수 둘째 자리 숫자입니다. ( )

3은 0.03을 나타냅니다. ( )

소수 첫째 자리 숫자는 5입니다. ( )

소수의 자릿값 (2)

밑줄 친 숫자가 나타내는 수를 써 보세요.

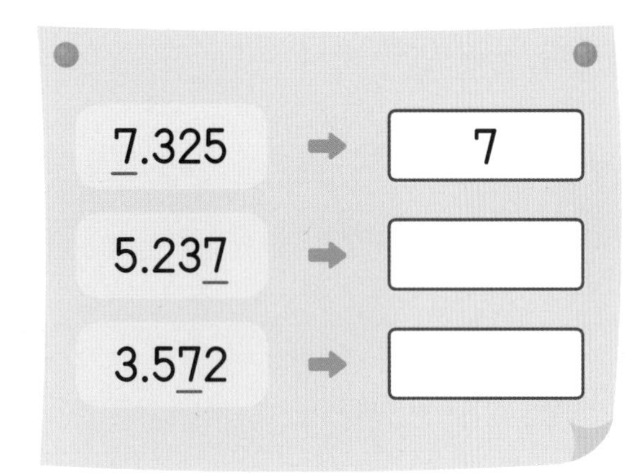

$0.\underline{3}65$ →
$1.20\underline{3}$ →
$4.2\underline{3}8$ →

7.325에서 7은 일의 자리 숫자입니다.

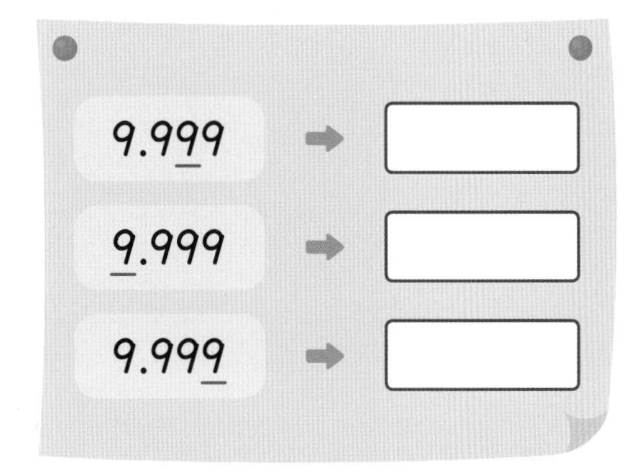

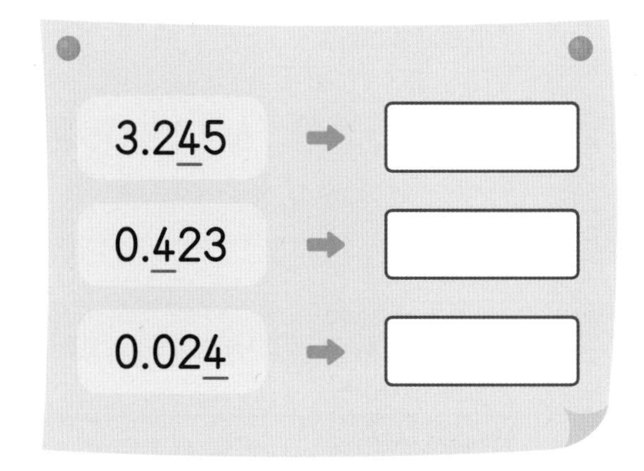

$7.00\underline{8}$ →
$0.\underline{8}55$ →
$23.5\underline{8}$ →

$2\underline{5}.863$ →
$74.0\underline{5}3$ →
$2.90\underline{5}$ →

빈칸에 알맞은 수를 써넣으세요.

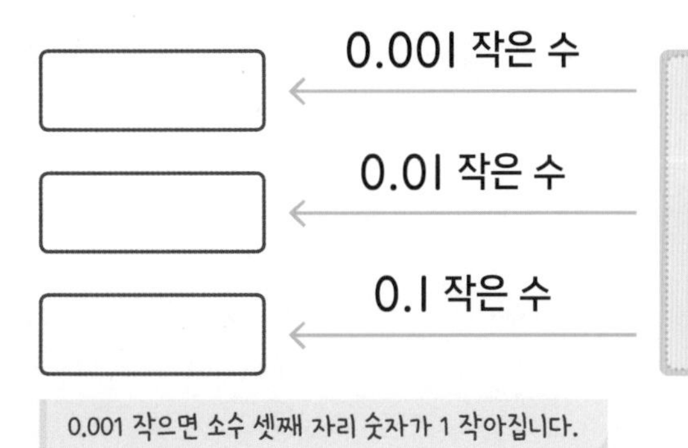

	← 0.001 작은 수	0.567	0.001 큰 수 →	
	← 0.01 작은 수		0.01 큰 수 →	
	← 0.1 작은 수		0.1 큰 수 →	

0.001 작으면 소수 셋째 자리 숫자가 1 작아집니다.

	← 0.001 작은 수	1.619	0.001 큰 수 →	
	← 0.01 작은 수		0.01 큰 수 →	
	← 0.1 작은 수		0.1 큰 수 →	
	← 1 작은 수		1 큰 수 →	

	← 0.001 작은 수	5.705	0.001 큰 수 →	
	← 0.01 작은 수		0.01 큰 수 →	
	← 0.1 작은 수		0.1 큰 수 →	
	← 1 작은 수		1 큰 수 →	

60일 소수로 나타내기

빈칸에 알맞은 소수를 써넣으세요.

0.1이 2개, 0.01이 5개, 0.001이 6개인 수는 [0.256] 입니다.

0.1이 2개이면 0.2, 0.01이 5개이면 0.05,
0.001이 6개이면 0.006입니다.

1이 7개, 0.1이 6개, 0.01이 5개, 0.001이 4개인 수는 [ ] 입니다.

1이 2개, 0.01이 9개, 0.001이 8개인 수는 [ ] 입니다.

10이 1개, 1이 3개, 0.1이 4개, 0.001이 5개인 수는 [ ] 입니다.

1이 9개, $\frac{1}{10}$이 5개, $\frac{1}{100}$이 3개, $\frac{1}{1000}$이 1개인 수는 [ ] 입니다.

$\frac{1}{100}$이 8개, $\frac{1}{1000}$이 7개인 수는 [ ] 입니다.

10이 4개, 1이 2개, $\frac{1}{10}$이 6개, $\frac{1}{1000}$이 3개인 수는 [ ] 입니다.

월 일

빈칸에 알맞은 수를 써넣으세요.

1m

0	10	20	30	40	50	60	70	80	90	100m
0	0.01	0.02	0.03	0.04	0.05	0.06	0.07	0.08	0.09	0.1km

1000m는 1km입니다.

100m는 ☐km입니다.

100m는 $\frac{1}{10}$km, 10m는 $\frac{1}{100}$km, 1m는 $\frac{1}{1000}$km입니다.

10m는 ☐km입니다.

1m는 ☐km입니다.

3m는 ☐km입니다.

27m는 ☐km입니다.

305m는 ☐km입니다.

973m는 ☐km입니다.

3000m는 ☐km입니다.

1235m는 ☐km입니다.

1235m는 1km 235m입니다.

3500m는 ☐km입니다.

1160m는 ☐km입니다.

설명에 알맞은 수를 써 보세요.

- 소수 세 자리 수입니다.
- 3보다 크고 4보다 작습니다.
- 소수 첫째 자리 숫자는 5입니다.
- 소수 둘째 자리 숫자는 0입니다.
- 소수 셋째 자리 숫자는 7입니다.

(　　　　　　　　)

- 소수 세 자리 수입니다.
- 9보다 크고 10보다 작습니다.
- 소수 첫째 자리 숫자는 0입니다.
- 소수 둘째 자리 숫자는 1입니다.
- 소수 셋째 자리 숫자는 3입니다.

(　　　　　　　　)

- 소수 세 자리 수입니다.
- 0.1보다 크고 0.2보다 작습니다.
- 소수 둘째 자리 숫자는 6입니다.
- 소수 셋째 자리 숫자는 4입니다.

(　　　　　　　　)

- 소수 세 자리 수입니다.
- 0.06보다 크고 0.07보다 작습니다.
- 소수 셋째 자리 숫자는 5입니다.

(　　　　　　　　)

61일~65일

3주차 소수의 크기 비교

61 일 크기가 같은 소수

전체 크기가 1인 모눈종이입니다. 소수만큼 색칠하고 두 수의 크기를 비교하여 ○ 안에 >, =, <를 알맞게 써넣으세요.

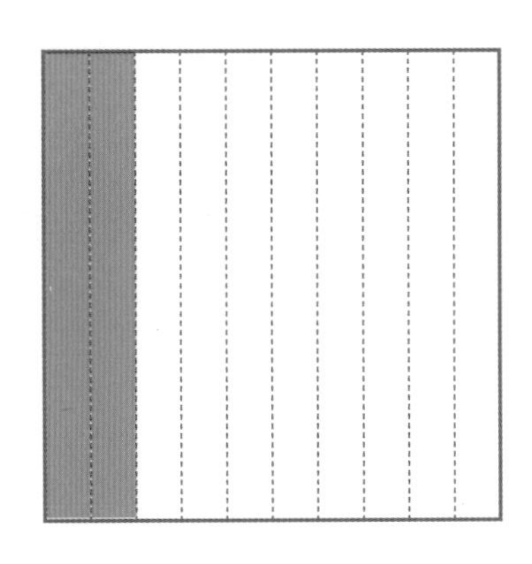

0.2  0.20

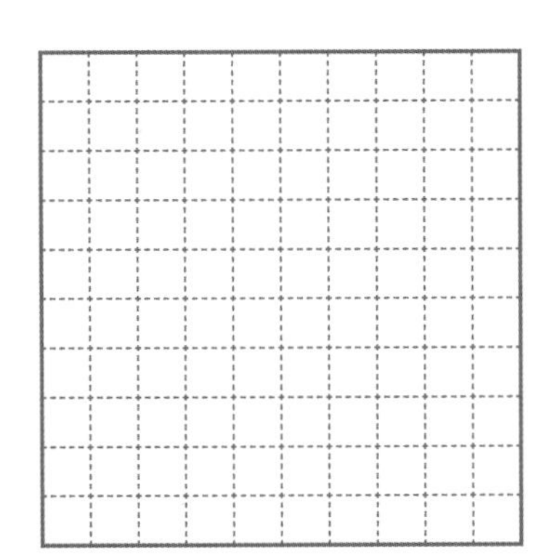

0.50 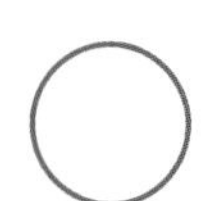 0.5

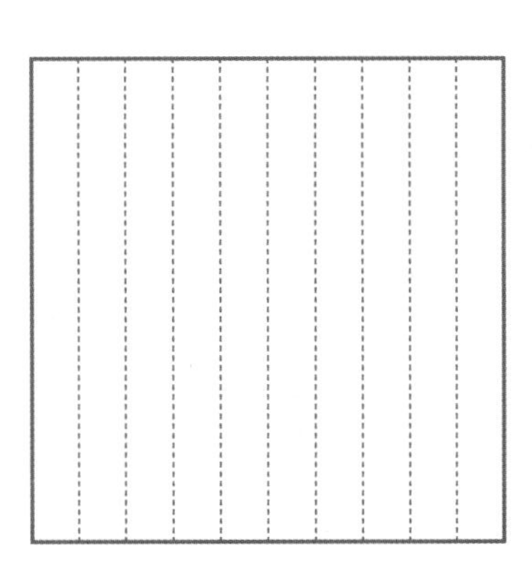

★ 0의 생략

0.1 = 0.10 = 0.100

0.1과 0.10, 0.100은 같은 수입니다. 필요한 경우 소수의 오른쪽 끝자리에 0을 붙여서 나타낼 수 있습니다.
소수점 아래 숫자 중에서 오른쪽 끝자리에 0이 있다면 그 0은 생략할 수 있습니다.

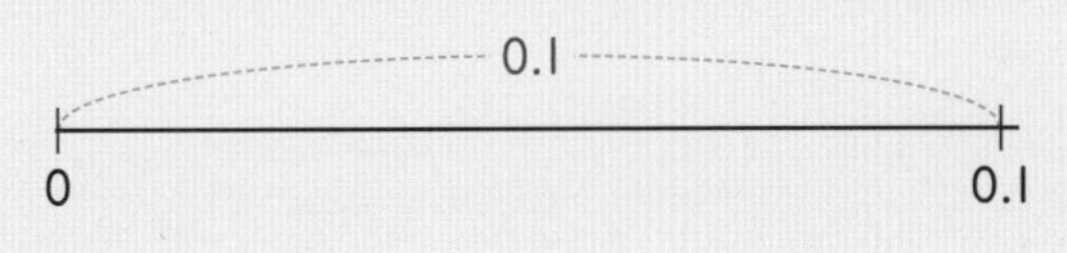

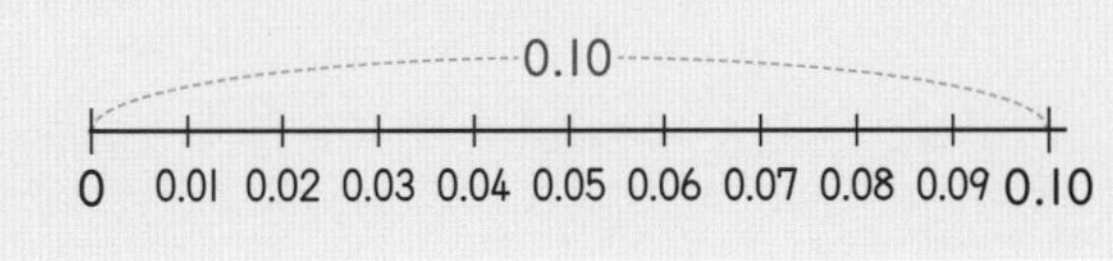

월 일

소수에서 생략할 수 있는 0을 모두 찾아 0을 /로 지워 보세요.

5.87ø	0.58	3.80	1.009
10.24	13.760	0.07	10.040
0.078	7.400	20.90	5.808
29.750	0.0060	40.005	0.011
50.005	8.806	0.240	21.900
13.04	5.0	6.10	3.003

62일 두 수의 크기 비교

두 소수를 수직선에 나타내고, 두 수의 크기를 비교하여 ○ 안에 >, =, <를 알맞게 써넣으세요.

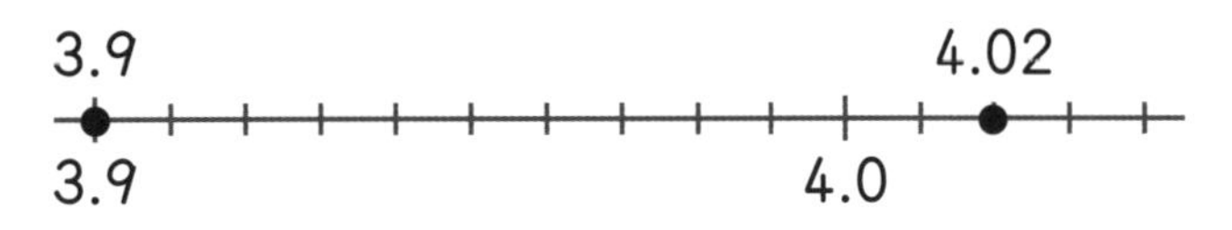

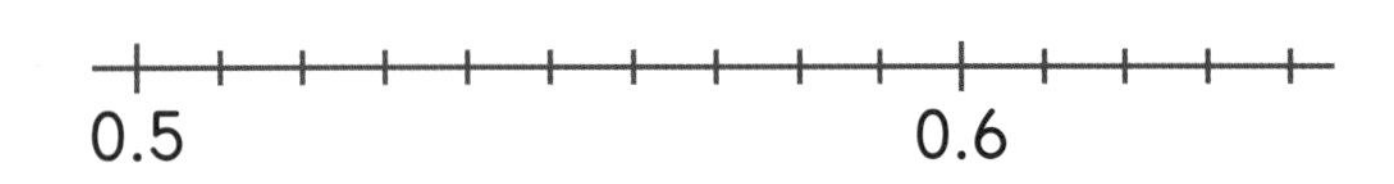

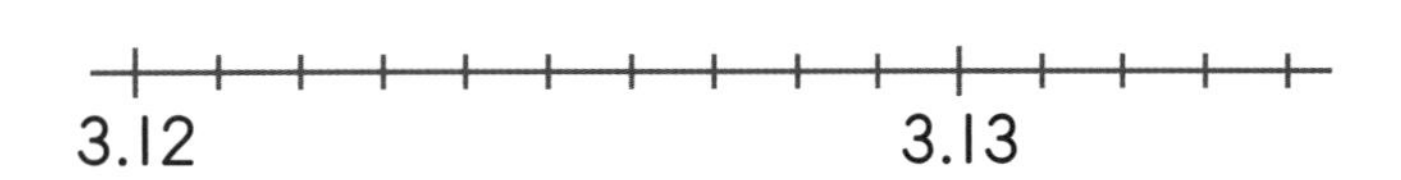

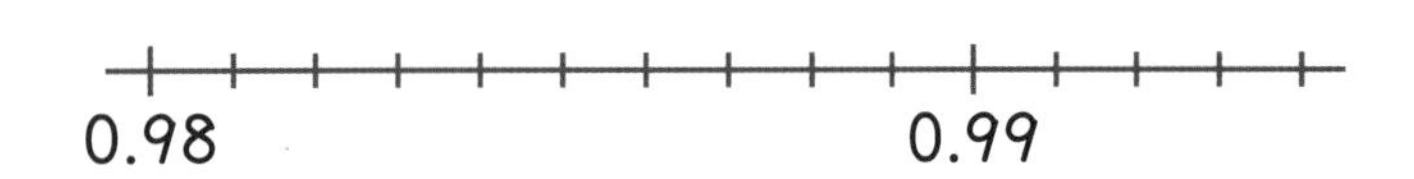

0.987 ○ 0.983

★ 소수의 크기 비교

일의 자리 이상이 크면 더 큰 수입니다.	➡ 일의 자리 이상이 같으면 소수 첫째 자리 숫자를 비교합니다.	➡ 소수 첫째 자리 숫자가 같으면 소수 둘째 자리 숫자를 비교합니다.	➡ 소수 둘째 자리 숫자가 같으면 소수 셋째 자리 숫자를 비교합니다.
$3.7 > 2.98$	$0.35 > 0.28$	$0.42 > 0.418$	$0.127 > 0.123$
$9.876 < 13.876$	$1.437 < 1.509$	$2.385 < 2.392$	$5.383 < 5.385$
$1.45 > 0.58$	$5.81 > 5.584$	$13.59 > 13.525$	$8.008 > 8.004$

월 일

두 수의 크기를 비교하여 ○ 안에 >, =, <를 알맞게 써넣으세요.

0.58 ○ 0.71

0.783 ○ 0.785

13.67 ○ 9.67

0.36 ○ 0.360

0.375 ○ 0.37

2.68 ○ 2.8

6.007 ○ 6.013

8.48 ○ 8.478

3.700 ○ 3.7

1.1 ○ 1.01

10.096 ○ 10.69

0.09 ○ 0.1

12.34 ○ 1.234

21.954 ○ 21.96

63 일

큰 수, 작은 수

작은 수부터 차례로 써 보세요.

0.63	1.25	0.626	1.52

(, , ,)

33.92	3.39	3.389	33.91

(, , ,)

0.71	0.658	0.714	0.705

(, , ,)

0.09	0.01	0.1	1.09

(, , ,)

1.005	1.05	1.051	1.015

(, , ,)

월 일

물음에 답하세요.

길이가 가장 긴 것부터 차례로 이름을 써 보세요.

하나의 단위로 나타냅니다.

빗자루	목도리	지팡이
1.2m	105cm	0.86m

(, ,)

무게가 가장 무거운 것부터 차례로 이름을 써 보세요.

1kg = 1000g

호박	무	양배추
0.785kg	1130g	0.79kg

(, ,)

학교에서 각각 준서, 지은, 정우네 집까지 가는 거리입니다. 집까지 가는 거리가 가장 가까운 사람부터 이름을 써 보세요.

준서	지은	정우
1.23km	1.304km	1080m

(, ,)

64일 10배와 $\frac{1}{10}$

빈칸에 알맞은 수를 써넣으세요.

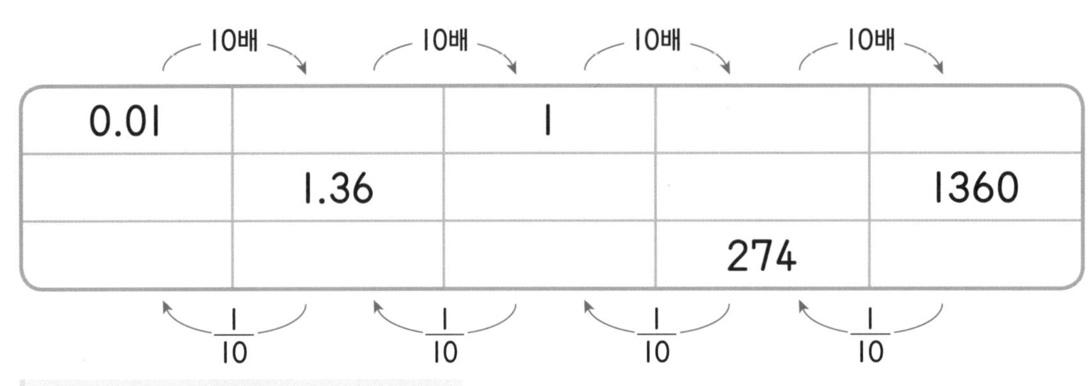

0.01		1		
	1.36			1360
			274	

10배 하면 수가 커지고, $\frac{1}{10}$을 하면 수가 작아집니다.

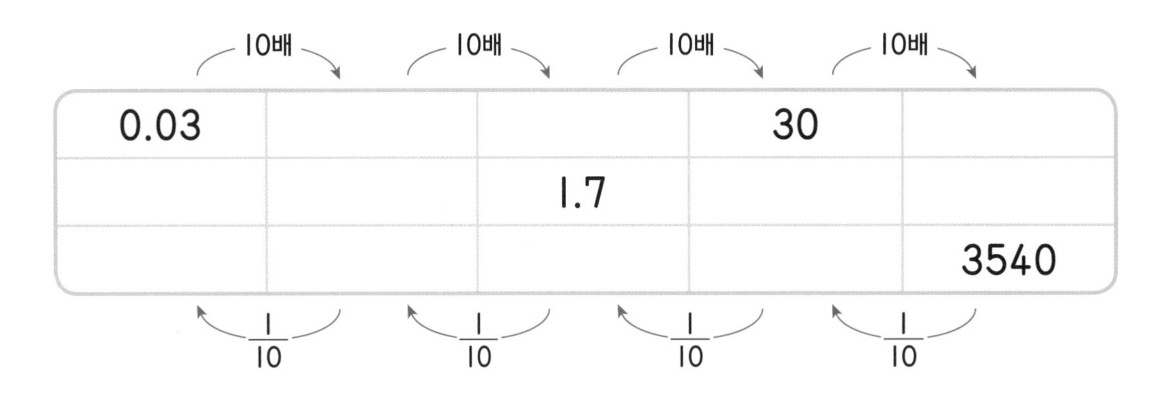

0.03			30	
		1.7		
				3540

★ 소수 사이의 관계

수를 10배 하면 소수점이 오른쪽으로 1칸, 100배 하면 소수점이 오른쪽으로 2칸 이동하는 것과 같습니다.

수를 $\frac{1}{10}$을 하면 소수점이 왼쪽으로 1칸, $\frac{1}{100}$을 하면 소수점이 왼쪽으로 2칸 이동하는 것과 같습니다.

10배 0.5 ➡ 5.0 ➡ 5　　100배 0.5 ➡ 50.0 ➡ 50

$\frac{1}{10}$ 0.5 ➡ 0.05　　$\frac{1}{100}$ 0.5 ➡ 0.005

빈칸에 알맞은 수를 써넣으세요.

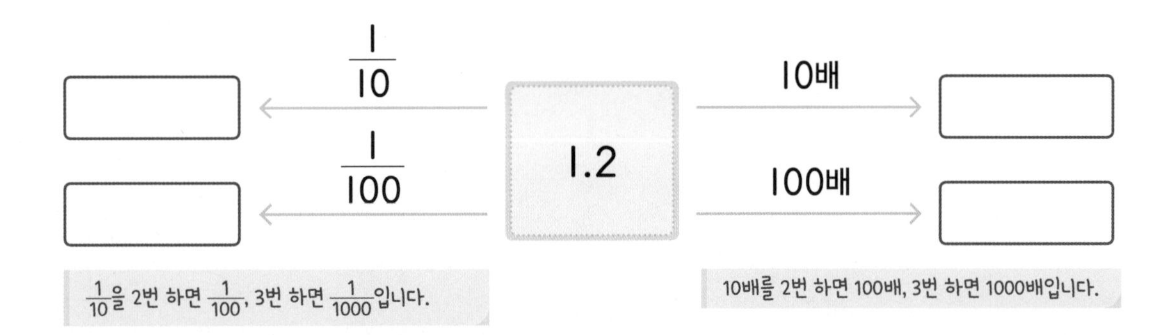

$\frac{1}{10}$을 2번 하면 $\frac{1}{100}$, 3번 하면 $\frac{1}{1000}$입니다.

10배를 2번 하면 100배, 3번 하면 1000배입니다.

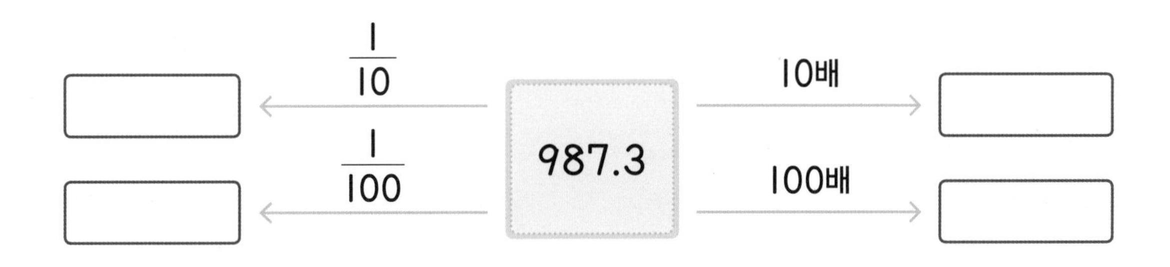

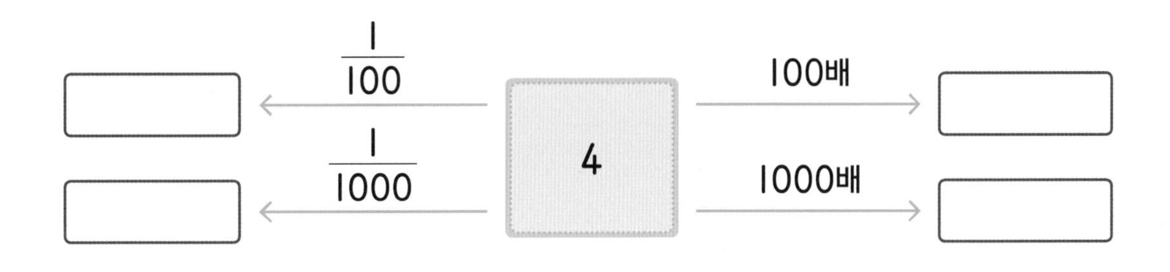

$\frac{1}{100}$ ← 50 → 100배

$\frac{1}{1000}$ ← 50 → 1000배

65 일 소수 사이의 관계

다른 수 하나를 찾아 ◯표 하세요.

12의 $\frac{1}{10}$	0.12의 10배	12의 $\frac{1}{100}$	0.012의 100배

0.08의 10배	0.008의 100배	80의 $\frac{1}{100}$	0.8의 $\frac{1}{10}$

205의 $\frac{1}{10}$	0.205의 1000배	2.05의 10배	0.205의 100배

135.8의 $\frac{1}{100}$	13.58의 $\frac{1}{10}$	1358의 $\frac{1}{1000}$	1.358의 10배

0.07의 100배	7의 $\frac{1}{100}$	0.007의 10배	0.7의 $\frac{1}{10}$

2.56의 10배	0.256의 1000배	0.256의 100배	2560의 $\frac{1}{100}$

월 일

빈칸에 알맞은 수를 써넣으세요.

5.7은 [   ]의 10배입니다.

687은 [   ]의 100배입니다.

1.45는 [   ]의 10배입니다.

9.5는 [   ]의 100배입니다.

0.653은 [   ]의 $\frac{1}{10}$입니다.

0.049는 [   ]의 $\frac{1}{100}$입니다.

7.323은 [   ]의 $\frac{1}{10}$입니다.

4.567은 [   ]의 $\frac{1}{100}$입니다.

2.1은 0.021의 [   ]배입니다.

86.13은 8.613의 [   ]배입니다.

103.7은 1.037의 [   ]배입니다.

50은 0.05의 [   ]배입니다.

2.74는 0.274의 [   ]배입니다.

152는 0.152의 [   ]배입니다.

■ 물음에 답하세요.

상자 1개의 무게는 0.659kg입니다. 상자 100개는 몇 kg일까요?

(　　　　　　　)

집에서 병원까지 가는 거리는 6.5km이고, 집에서 공원까지 가는 거리는 병원까지 가는 거리의 $\frac{1}{10}$입니다. 집에서 공원까지 가는 거리는 몇 km일까요?

(　　　　　　　)

진서의 키는 1.5m입니다. 진서네 아파트의 높이는 진서 키의 100배이고, 아파트 앞 느티나무의 높이는 아파트 높이의 $\frac{1}{10}$입니다. 느티나무의 높이는 몇 m일까요?

(　　　　　　　)

가위바위보를 하여 이기면 점수가 10배가 되고, 지면 점수의 $\frac{1}{10}$이 됩니다. 지윤이는 0.01점에서 가위바위보를 하여 2번 이기고, 1번 졌습니다. 지금 지윤이의 점수는 몇 점일까요?

(　　　　　　　)

66일~70일

4주차 소수 한 자리 수 계산

66 일 소수 한 자리 수 덧셈

수직선에 나타내고, 소수의 덧셈을 해 보세요.

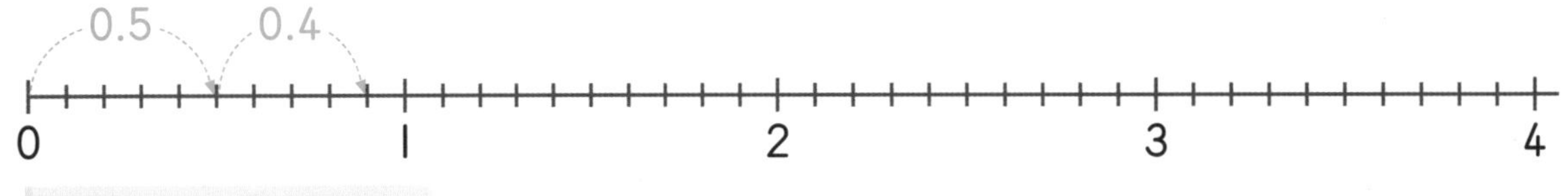

수직선 한 칸은 0.1을 나타냅니다.

$0.5+0.4=\square$

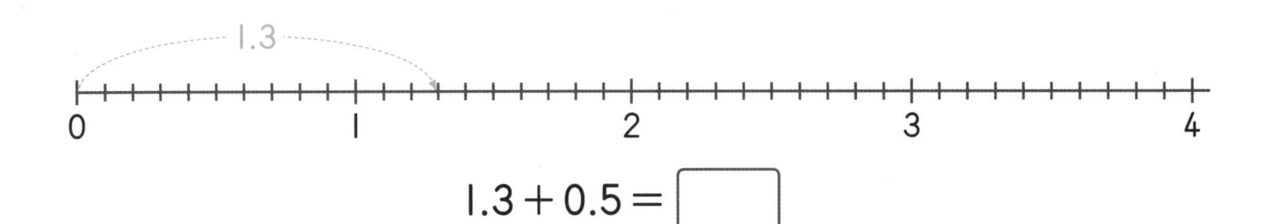

$1.3+0.5=\square$

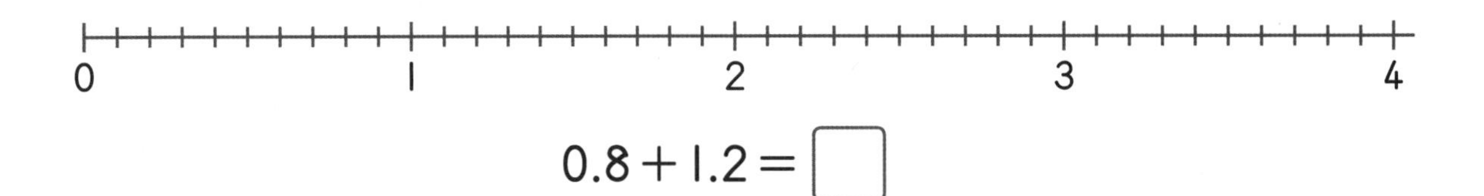

$0.8+1.2=\square$

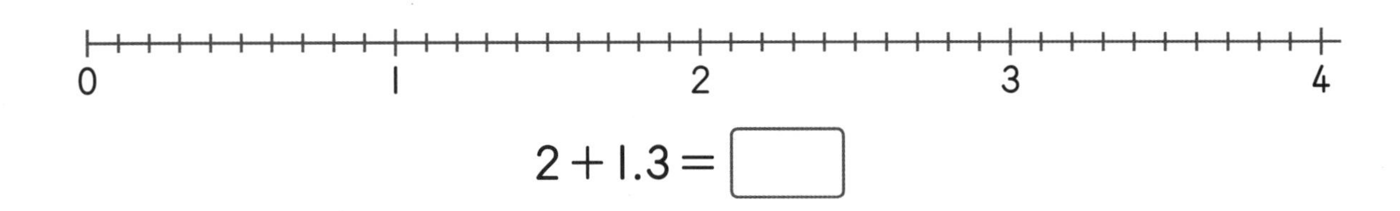

$2+1.3=\square$

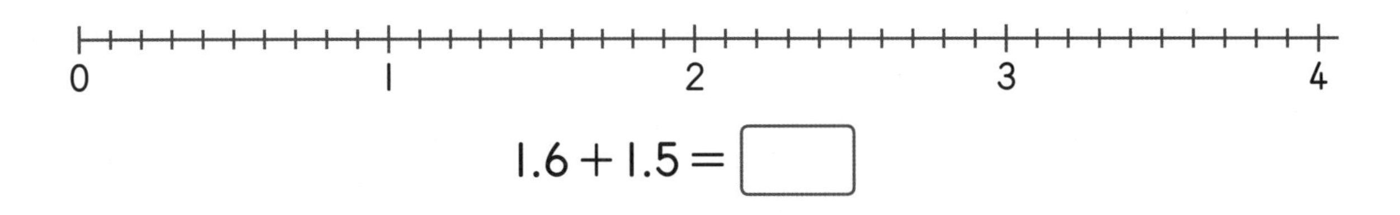

$1.6+1.5=\square$

계산을 하세요.

$$\begin{array}{r} 0.5 \\ +\ 0.2 \\ \hline \end{array}$$

$$\begin{array}{r} 2.3 \\ +\ 0.4 \\ \hline \end{array}$$

$$\begin{array}{r} 0.8 \\ +\ 1.1 \\ \hline \end{array}$$

$$\begin{array}{r} 2 \\ +\ 1.6 \\ \hline \end{array}$$

$$\begin{array}{r} 0.7 \\ +\ 0.8 \\ \hline \end{array}$$

$$\begin{array}{r} 4.4 \\ +\ 0.8 \\ \hline \end{array}$$

$$\begin{array}{r} 2.3 \\ +\ 3.7 \\ \hline \end{array}$$

$$\begin{array}{r} 1.6 \\ +\ 6 \\ \hline \end{array}$$

$0.6+0.3$

소수점끼리 맞추고 같은 자리 수끼리 더합니다.

$1.2+2.4$

$0.7+2.1$

$5.5+0.8$

$2.8+1.6$

$3.7+4.9$

세로로 덧셈하기

소수점끼리 맞추어 쓰고 같은 자리 수끼리 더합니다.
받아올림이 있는 경우 자연수의 덧셈과 같은 방법으로 받아올림을 합니다.

$$\begin{array}{r} 0.3 \\ +\ 1.4 \\ \hline 1.7 \end{array}$$

$0.3+1.4=1.7$

$$\begin{array}{r} \scriptstyle 1 \\ 4.7 \\ +\ 2.5 \\ \hline 7.2 \end{array}$$

$4.7+2.5=7.2$

67 일 소수 한 자리 수 뺄셈

수직선에 나타내고, 소수의 뺄셈을 해 보세요.

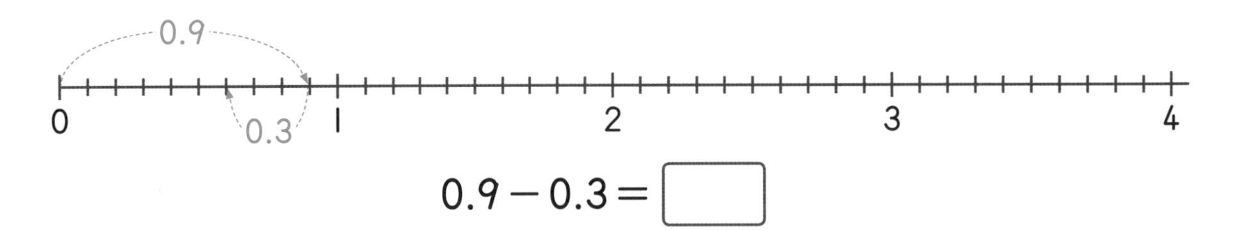

$0.9-0.3=$ □

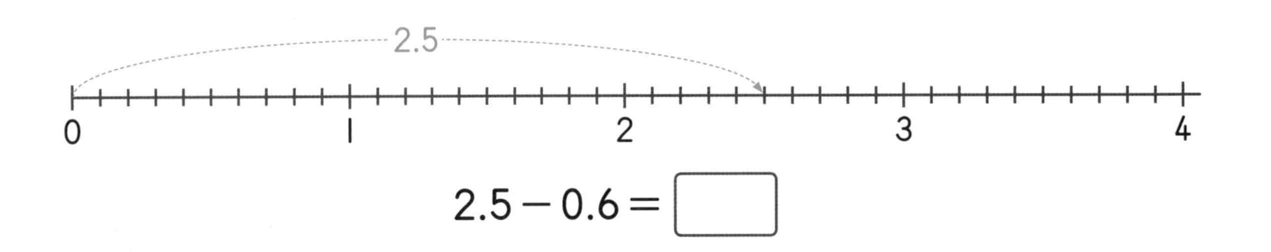

$2.5-0.6=$ □

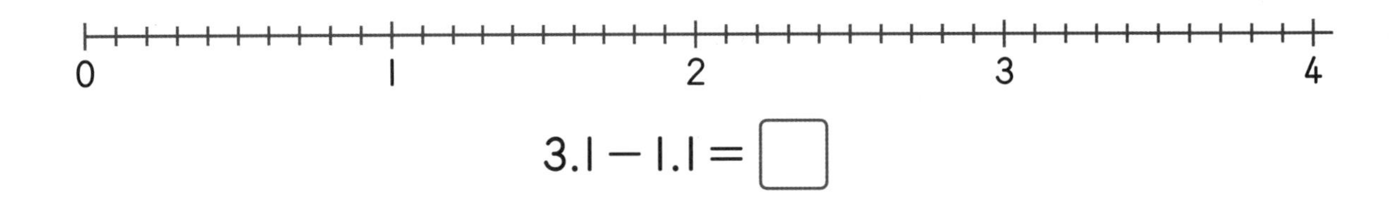

$3.1-1.1=$ □

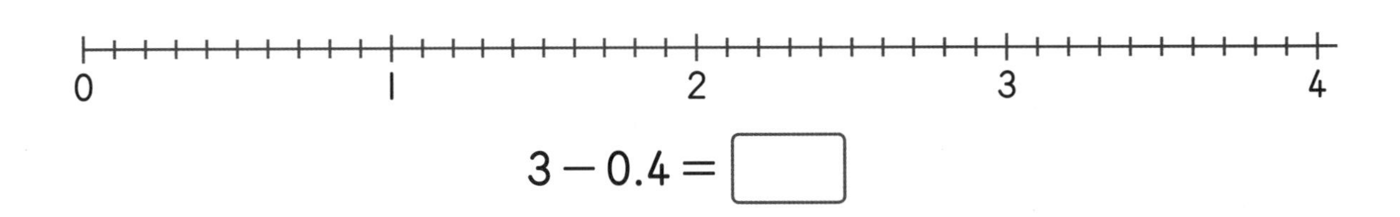

$3-0.4=$ □

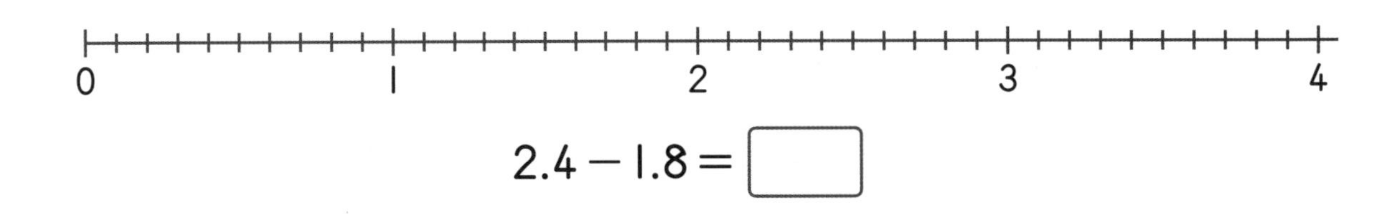

$2.4-1.8=$ □

월 일

계산을 하세요.

$$\begin{array}{r} 0.8 \\ -\ 0.7 \\ \hline \end{array}$$

$$\begin{array}{r} 1.5 \\ -\ 0.3 \\ \hline \end{array}$$

$$\begin{array}{r} 4.9 \\ -\ 2.3 \\ \hline \end{array}$$

$$\begin{array}{r} 1.2 \\ -\ 0.5 \\ \hline \end{array}$$

$$\begin{array}{r} 6.3 \\ -\ 2.6 \\ \hline \end{array}$$

$$\begin{array}{r} 3.4 \\ -\ 0.8 \\ \hline \end{array}$$

$$\begin{array}{r} 3 \\ -\ 2.7 \\ \hline \end{array}$$

$$\begin{array}{r} 7 \\ -\ 3.9 \\ \hline \end{array}$$

$0.6-0.2$

$2.7-1.6$

$3.9-0.7$

$4.4-0.9$

$9.3-3.8$

$7.5-6.7$

★ 세로로 뺄셈하기

소수점끼리 맞추어 쓰고 같은 자리 수끼리 뺍니다.
받아내림이 있는 경우 자연수의 뺄셈과 같은 방법으로 받아내림을 합니다.

$$\begin{array}{r} 1.6 \\ -\ 0.2 \\ \hline 1.4 \end{array}$$

$1.6-0.2=1.4$

$$\begin{array}{r} \scriptstyle 4\ \ 10 \\ \not{5}.2 \\ -\ 1.3 \\ \hline 3.9 \end{array}$$

$5.2-1.3=3.9$

68일 두 수의 합과 차

계산 결과가 같은 것끼리 이어 보세요.

0.3 + 0.4	0.9 + 0.6
0.8 + 0.9	0.5 + 0.2
1.3 + 0.2	1.1 + 0.6

0.9 − 0.4	1 − 0.6
2.2 − 1.8	1.8 − 0.3
2.4 − 0.9	1.2 − 0.7

1.4+0.7	3.3 − 1.2
0.4 + 1.3	3.1 − 0.7
1.5 + 0.9	4 − 2.3

5.4 − 0.6	2.3 + 1.7
5 − 1.8	2.6 + 0.6
6.3 − 2.3	1.9 + 2.9

설명하는 두 수의 합 또는 차를 구해 보세요.

0.1이 8개인 수와 일의 자리 숫자가 2, 소수 첫째 자리 숫자가 5인 수의 합은 얼마일까요?

( )

0.1이 36개인 수와 일의 자리 숫자가 1, 소수 첫째 자리 숫자가 7인 수의 차는 얼마일까요?

( )

2.8보다 크고 3보다 작은 소수 한 자리 수와 0.1이 40개인 수의 합은 얼마일까요?

( )

5보다 크고 5.2보다 작은 소수 한 자리 수와 1이 2개, 0.1이 7개인 수의 차는 얼마일까요?

( )

일의 자리 숫자가 0, 소수 첫째 자리 숫자가 9인 수와 1이 3개, 0.1이 8개인 수의 합은 얼마일까요?

( )

69 일 이야기하기

물음에 답하세요.

크레파스의 길이는 2.8cm이고, 연필의 길이는 크레파스보다 4.5cm 더 깁니다. 연필의 길이는 몇 cm일까요?

식 ______________ 답 ________ cm

집에서 학교까지 가는 거리는 0.7km, 학교에서 도서관까지 가는 거리는 1.6km입니다. 집에서 학교를 지나 도서관까지 가는 거리는 몇 km일까요?

식 ______________ 답 ________ km

다영이와 주영이가 멀리뛰기를 하였습니다. 다영이는 3m, 주영이는 2.4m 뛰었습니다. 다영이는 주영이보다 몇 m 더 멀리 뛰었을까요?

식 ______________ 답 ________ m

과일이 들어 있는 상자의 무게를 재었더니 8.2kg이고, 과일을 꺼낸 상자의 무게를 재었더니 1.3kg입니다. 과일의 무게는 몇 kg일까요?

식 ______________ 답 ________ kg

물음에 답하세요.

농장에서 선아는 포도를 3.6kg 땄고, 시우는 1.7kg, 유나는 2.5kg 땄습니다. 세 사람이 딴 포도는 모두 몇 kg일까요?

(　　　　　　)

주스병에 주스가 1.8L 들어 있었습니다. 민서가 0.6L를 마시고, 준하가 0.5L를 마셨습니다. 남아 있는 주스는 몇 L일까요?

(　　　　　　)

밀가루가 4kg 있었습니다. 그중에서 빵을 만드는 데 1.2kg 사용하였고, 빵을 만들고 나서 밀가루 0.5kg을 더 샀습니다. 지금 있는 밀가루는 몇 kg일까요?

(　　　　　　)

성우는 길이가 1.4m인 끈과 2.1m인 끈을 겹치는 부분 없이 이어 붙인 다음, 2.6m를 잘라 상자를 포장하는 데 사용했습니다. 지금 남은 끈은 몇 m일까요?

(　　　　　　)

70 일 조건 보고 추론하기

각 모양은 소수 한 자리 수를 나타냅니다. 각 모양이 나타내는 소수를 구해 보세요.

- ♥은 1이 2개, 0.1이 6개인 수입니다.
- ☆은 ♥보다 1.8 큰 수입니다.
- ●은 ☆보다 3.2 작은 수입니다.

♥ (　　　　)

☆ (　　　　)

● (　　　　)

구할 수 있는 소수부터 차례로 구해 봅니다.
① ♥: 2.6

- ♥은 ☆보다 0.7 큰 수입니다.
- ●은 ♥보다 2.9 작은 수입니다.
- ☆은 일의 자리 숫자가 3, 소수 첫째 자리 숫자가 1인 수입니다.

♥ (　　　　)

☆ (　　　　)

● (　　　　)

- ●은 5보다 1.3 작은 수입니다.
- ♥은 ●보다 0.8 큰 수입니다.
- ☆은 ♥보다 2.6 작은 수입니다.

♥ (　　　　)

☆ (　　　　)

● (　　　　)

- ♥은 ●보다 3.5 큰 수입니다.
- ●은 ☆보다 0.7 작은 수입니다.
- ☆은 1보다 2.5 큰 수입니다.

♥ (　　　　)

☆ (　　　　)

● (　　　　)

조건을 보고 물음에 답하세요.

설아는 출발점에서부터 몇 km를 달렸나요?

• 민석이와 설아가 1km 달리기를 하고 있습니다.
• 민석이는 0.3km 더 달리면 도착점에 도착합니다.
• 설아는 민석이보다 0.2km 뒤에 있습니다.

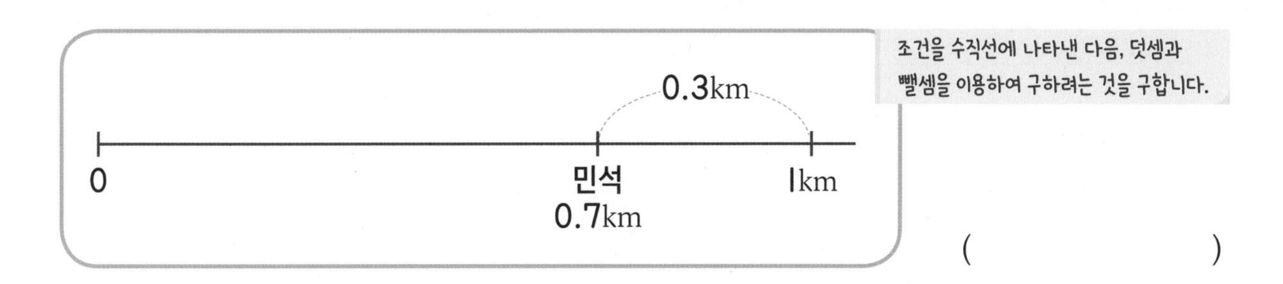

조건을 수직선에 나타낸 다음, 덧셈과 뺄셈을 이용하여 구하려는 것을 구합니다.

(　　　　　　)

빨간색 끈은 노란색 끈보다 몇 m 더 긴가요?

• 파란색 끈은 1m보다 0.2m 더 짧습니다.
• 빨간색 끈은 파란색 끈보다 1.2m 더 깁니다.
• 노란색 끈은 파란색 끈보다 0.5m 더 짧습니다.

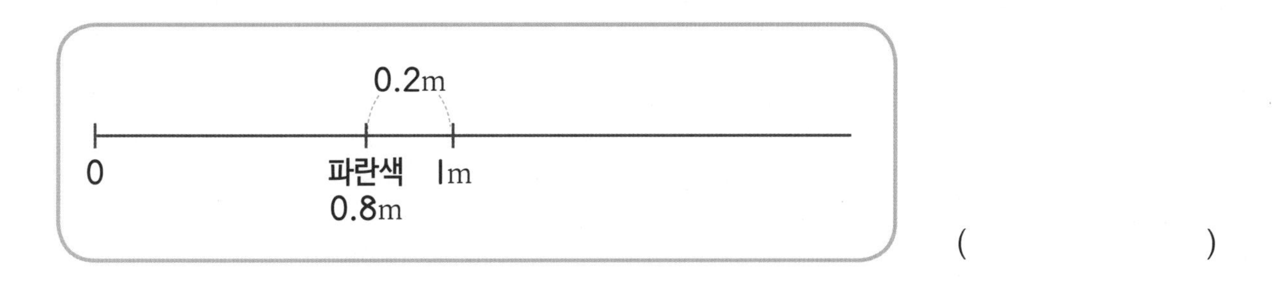

(　　　　　　)

조건을 보고 물음에 답하세요.

나 물통에는 물이 몇 L 들어 있나요?

- 가 물통에는 물이 1.5L 들어 있습니다.
- 나 물통에는 다 물통보다 물이 2.6L 더 많이 들어 있습니다.
- 다 물통에는 가 물통보다 물이 0.8L 더 적게 들어 있습니다.

( )

시현, 영재, 다솔 삼형제의 키입니다. 영재는 다솔이보다 키가 몇 m 더 큰가요?

- 영재의 키는 1m보다 0.4m 더 큽니다.
- 시현이의 키는 영재보다 0.3m 더 큽니다.
- 다솔이의 키는 시현이보다 0.9m 더 작습니다.

( )

71일~75일

5주차 소수 두 자리 수 계산

71일 소수 두 자리 수 덧셈

수직선에 나타내고, 소수의 덧셈을 해 보세요.

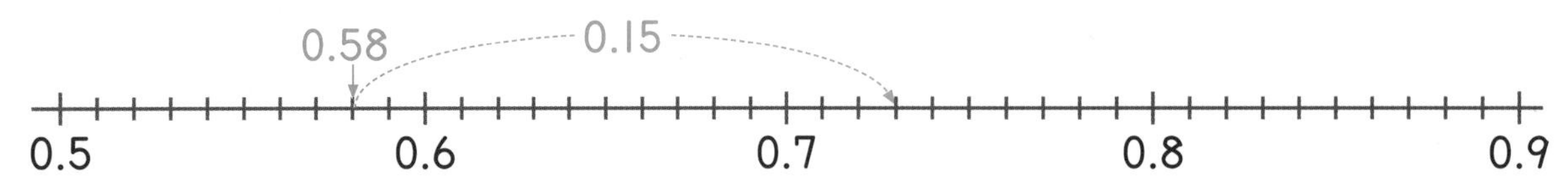

수직선에 0.58을 표시하고, 표시한 곳에서부터 0.15만큼 더 갑니다.

$0.58 + 0.15 = \square$

수직선 한 칸은 0.01을 나타냅니다.

$0.83 + 0.22 = \square$

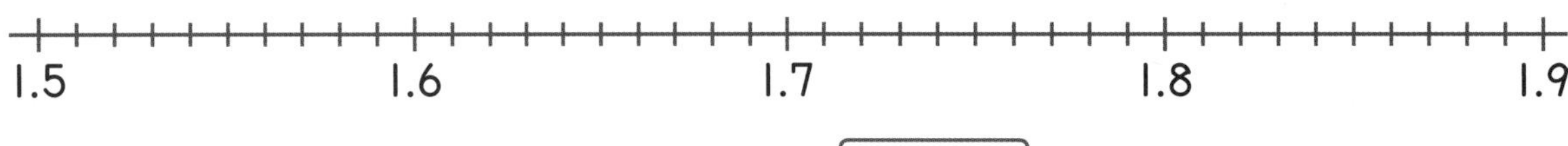

$1.52 + 0.3 = \square$

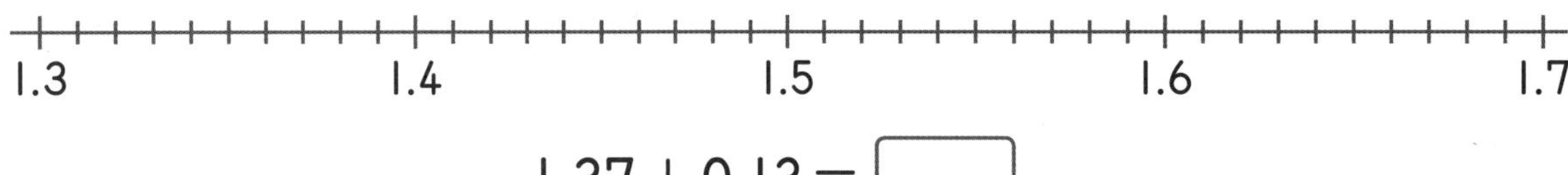

$1.37 + 0.13 = \square$

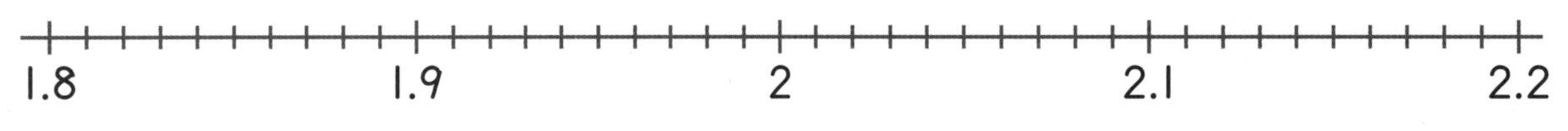

$1.89 + 0.25 = \square$

계산을 하세요.

$$\begin{array}{r} 0.29 \\ +\ 0.65 \\ \hline \end{array}$$

$$\begin{array}{r} 1.5 \\ +\ 0.74 \\ \hline \end{array}$$

$$\begin{array}{r} 12.78 \\ +\ \ 3.45 \\ \hline \end{array}$$

$$\begin{array}{r} 2.07 \\ +\ 5.43 \\ \hline \end{array}$$

$$\begin{array}{r} 6.63 \\ +\ 3.39 \\ \hline \end{array}$$

$$\begin{array}{r} 9.66 \\ +\ 12.08 \\ \hline \end{array}$$

$0.35+0.47$

$0.85+2.06$

$1.6+0.25$

1.6은 1.60으로 나타낼 수 있습니다.

$4.35+4.7$

$3.97+4.38$

$2.49+3.53$

★ 세로로 덧셈하기

소수 한 자리 수 덧셈과 같이 소수점끼리 맞추어 쓰고 같은 자리 수끼리 더합니다.
소수 한 자리 수와 소수 두 자리 수를 더하는 경우 소수점을 맞추는 것에 주의합니다.

$$\begin{array}{r} ^{1}\ ^{1}\ \ \\ 0.58 \\ +\ 2.73 \\ \hline 3.31 \end{array}$$

$0.58+2.73=3.31$

$$\begin{array}{r} ^{1}\ \ \ \ \\ 1.3 \\ +\ 0.85 \\ \hline 2.15 \end{array}$$

$1.3+0.85=2.15$

소수 두 자리 수 뺄셈

수직선에 나타내고, 소수의 뺄셈을 해 보세요.

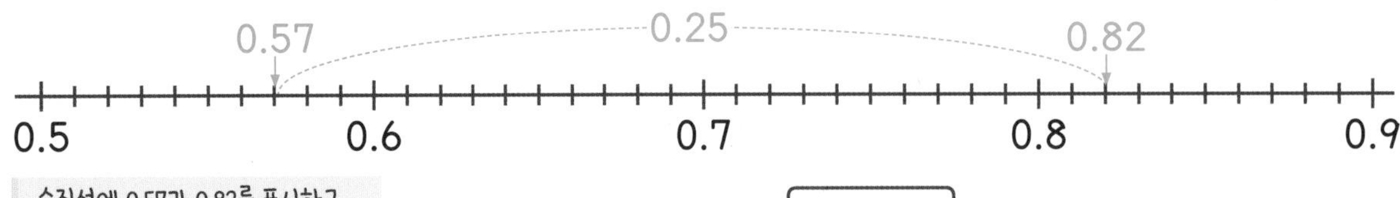

수직선에 0.57과 0.82를 표시하고,
표시한 두 수의 차이를 구합니다.

$0.82 - 0.57 = \square$

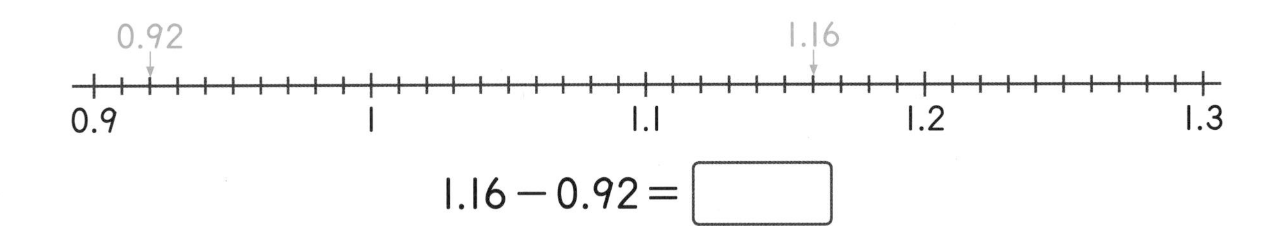

$1.16 - 0.92 = \square$

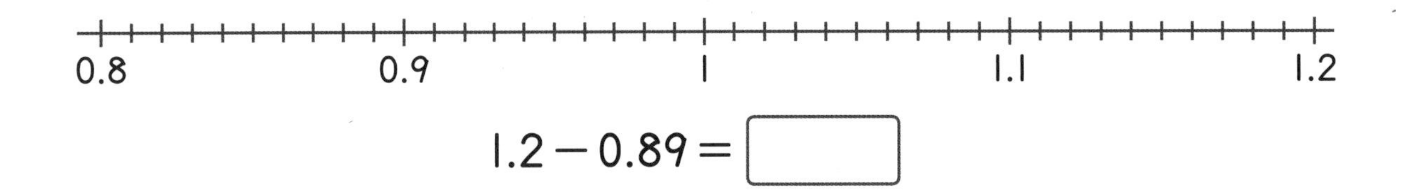

$1.2 - 0.89 = \square$

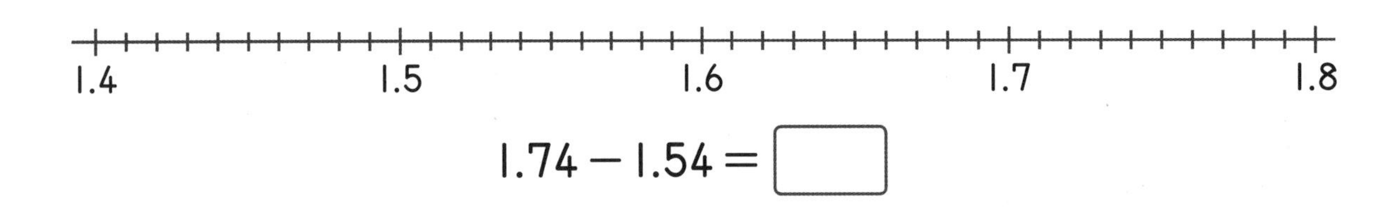

$1.74 - 1.54 = \square$

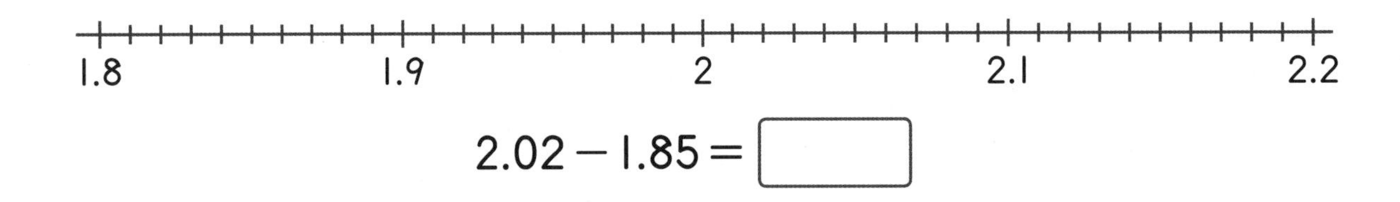

$2.02 - 1.85 = \square$

계산을 하세요.

$$\begin{array}{r} 0.77 \\ -\ 0.72 \\ \hline \end{array}$$

$$\begin{array}{r} 3.62 \\ -\ 0.5 \\ \hline \end{array}$$

$$\begin{array}{r} 13.43 \\ -\ \ 1.37 \\ \hline \end{array}$$

$$\begin{array}{r} 5.04 \\ -\ 1.14 \\ \hline \end{array}$$

$$\begin{array}{r} 8.35 \\ -\ 2.48 \\ \hline \end{array}$$

$$\begin{array}{r} 15.52 \\ -\ \ 6.39 \\ \hline \end{array}$$

$0.95-0.16$

$1.86-0.38$

$2.3-1.27$

2.3은 2.30으로 나타낼 수 있습니다.

$4.04-0.6$

$6.21-5.54$

$9.38-2.39$

세로로 뺄셈하기

소수 한 자리 수 뺄셈과 같이 소수점끼리 맞추어 쓰고 같은 자리 수끼리 뺍니다.
소수 한 자리 수와 소수 두 자리 수의 차를 계산할 때는 소수점을 맞추는 것에 주의합니다.

$$\begin{array}{r} \overset{1}{}\ \ \overset{10}{} \\ 1.\not{2}\,3 \\ -\ 0.1\,7 \\ \hline 1.0\,6 \end{array}$$

$1.23-0.17=1.06$

$$\begin{array}{r} \overset{2}{}\ \overset{17}{}\ \overset{10}{} \\ \not{3}.\not{8} \\ -\ 1.8\,5 \\ \hline 1.9\,5 \end{array}$$

$3.8-1.85=1.95$

두 수의 합과 차

설명하는 수를 구해 보세요.

0.57보다 1.32 큰 수

(   )

1.27보다 0.46 작은 수

(   )

3.6보다 1.74 큰 수

(   )

3.94보다 1.25 작은 수

(   )

2.96보다 5.05 큰 수

(   )

6.7보다 2.89 작은 수

(   )

9.35보다 4.8 큰 수

(   )

7.31보다 0.58 작은 수

(   )

빈칸에 알맞은 수를 써넣으세요.

$$\begin{array}{r} \square.6\,2 \\ +\ 0.3\,\square \\ \hline 1.\square\,9 \end{array}$$

$$\begin{array}{r} 0.\square\,7 \\ +\ \square.3\,8 \\ \hline 3.8\,\square \end{array}$$

$$\begin{array}{r} 4.\square \\ +\ 1.5\,\square \\ \hline \square.2\,6 \end{array}$$

$$\begin{array}{r} 0.\square\,9 \\ +\ \square.6\,3 \\ \hline 1.5\,\square \end{array}$$

$$\begin{array}{r} \square.5\,8 \\ +\ 4.4\,\square \\ \hline 7.\square\,3 \end{array}$$

$$\begin{array}{r} 5.3\,\square \\ +\ 2.\square\,7 \\ \hline \square.1\,4 \end{array}$$

$$\begin{array}{r} 1.\square\,4 \\ -\ \square.4\,2 \\ \hline 1.1\,\square \end{array}$$

$$\begin{array}{r} \square.5\,1 \\ -\ 2.4\,\square \\ \hline 1.\square\,8 \end{array}$$

$$\begin{array}{r} 5.\square\,7 \\ -\ \square.3 \\ \hline 5.0\,\square \end{array}$$

$$\begin{array}{r} 6.1\,\square \\ -\ 6.\square\,4 \\ \hline \square.0\,8 \end{array}$$

$$\begin{array}{r} 9.2\,\square \\ -\ \square.5\,7 \\ \hline 7.\square\,9 \end{array}$$

$$\begin{array}{r} \square.4 \\ -\ 3.\square\,8 \\ \hline 3.7\,\square \end{array}$$

74일 큰 수, 작은 수

가장 큰 수와 가장 작은 수의 합을 구해 보세요.

0.62	0.32	0.28	0.57

(　　　　　　)

가장 큰 수: 0.62, 가장 작은 수: 0.28

3.09	3.14	2.56	1.08

(　　　　　　)

1.3	0.78	1.26	0.9

(　　　　　　)

0.74	5.17	0.81	5.43

(　　　　　　)

4.2	3.63	4.39	3.8

(　　　　　　)

5.99	6.02	5.07	6.98

(　　　　　　)

수 카드를 한 번씩 사용하여 소수 두 자리 수를 만들려고 합니다. 만들 수 있는 가장 큰 수와 가장 작은 수의 차를 구해 보세요.

1 3 2 .

( )

5 1 9 .

( )

3 5 . 7

( )

1 7 . 6

( )

4 . 9 2

( )

2 . 5 3

( )

. 8 3 4

( )

. 5 4 6

( )

75일 이야기하기

물음에 답하세요.

다인이의 키는 1.36m입니다. 주아는 다인이보다 0.16m 더 큽니다. 주아의 키는 몇 m일까요?

식 ______________________ 답 ________ m

민규는 오전에 물을 0.55L 마시고, 오후에 0.86L 마셨습니다. 민규가 마신 물은 모두 몇 L일까요?

식 ______________________ 답 ________ L

설탕이 2.4kg 있었습니다. 잼을 만들고 남은 설탕이 0.75kg입니다. 잼을 만드는 데 사용한 설탕은 몇 kg일까요?

식 ______________________ 답 ________ kg

현수가 가방을 메고 체중계에 올라가 무게를 재었더니 39.26kg이었습니다. 가방의 무게가 3.52kg이라면 현수의 몸무게는 몇 kg일까요?

식 ______________________ 답 ________ kg

물음에 답하세요.

주원이의 키는 128cm, 나은이의 키는 1.35m입니다. 나은이는 주원이보다 키가 몇 m 더 클까요?

cm 단위를 m 단위로 나타냅니다.

(   )

연석이가 등산을 했습니다. 산을 올라갈 때 1.53km, 산을 내려올 때 1760m 걸었다면 연석이가 등산을 하는 데 걸은 거리는 모두 몇 km일까요?

(   )

작은 물병에는 물이 750mL, 큰 물병에는 물이 1.8L 들어 있습니다. 두 물병에 들어 있는 물은 모두 몇 L일까요?

1L=1000mL

(   )

감자가 7400g 있었습니다. 요리를 하는 데 감자 2.25kg을 사용했습니다. 남은 감자는 몇 kg일까요?

(   )

물음에 답하세요.

집에서 빵집까지 가는 거리는 0.56km, 빵집에서 은행까지는 0.35km, 은행에서 우체국까지는 1.24km입니다. 집에서 빵집과 은행을 차례로 들러 우체국까지 가는 거리는 몇 km일까요?

( )

귤과 사과가 들어 있는 바구니의 무게를 재었더니 8.58kg이었습니다. 귤의 무게가 2.03kg, 사과의 무게가 5.57kg이라면 바구니의 무게는 몇 kg일까요?

( )

물병에 물 1.6L가 있었습니다. 지유가 0.35L를 마시고 나서 물병에 물 0.47L를 더 부었습니다. 지금 물병에는 물이 몇 L 들어 있을까요?

( )

하윤이는 고구마를 2.72kg, 지안이는 2.28kg 캤습니다. 두 사람이 캔 고구마 중에서 3.13kg을 먹었다면 남은 고구마는 몇 kg일까요?

( )

하루 한 장 75일
집중 완성

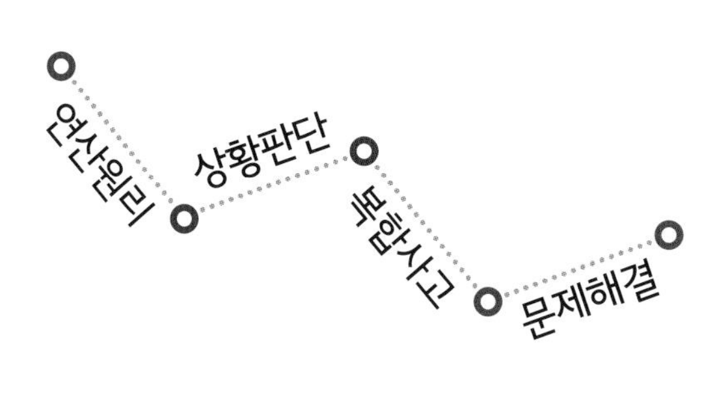

교과 연산

초4

D3

소수의 덧셈과 뺄셈

HERO

정답

정답

8·9쪽

51일 1보다 작은 소수

월 일

■ 전체 크기가 1인 모눈종이 위에 색칠된 부분의 크기를 소수로 나타내어 보세요.

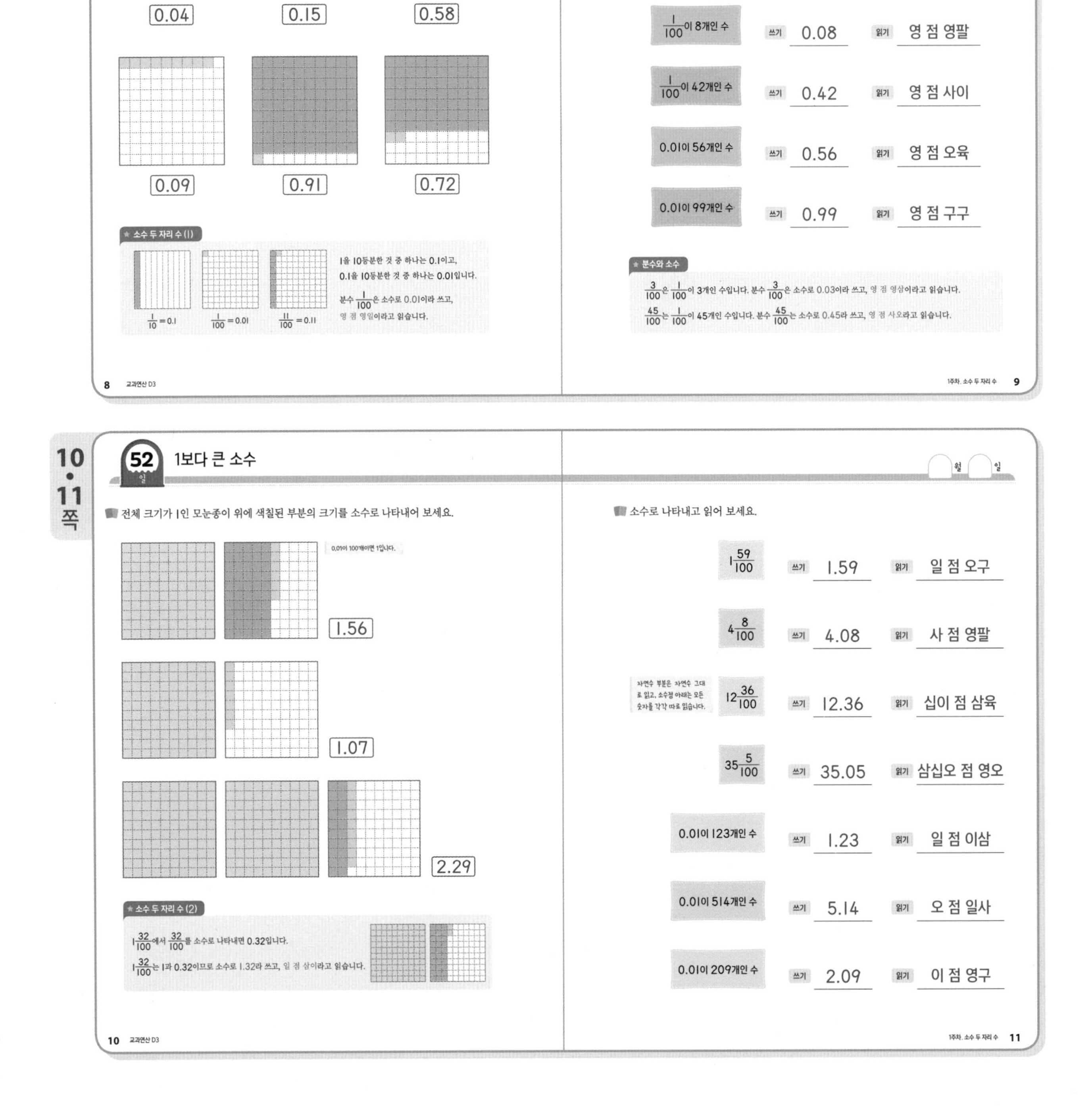

0.04 | 0.15 | 0.58

0.09 | 0.91 | 0.72

★ 소수 두 자리 수 (1)

$\frac{1}{10}=0.1$ $\frac{1}{100}=0.01$ $\frac{11}{100}=0.11$

1을 10등분한 것 중 하나는 0.1이고, 0.1을 10등분한 것 중 하나는 0.01입니다.

분수 $\frac{1}{100}$은 소수로 0.01이라 쓰고, 영 점 영일이라고 읽습니다.

■ 소수로 나타내고 읽어 보세요.

	쓰기	읽기
$\frac{2}{100}$	0.02	영 점 영이
$\frac{39}{100}$	0.39	영 점 삼구
$\frac{1}{100}$이 8개인 수	0.08	영 점 영팔
$\frac{1}{100}$이 42개인 수	0.42	영 점 사이
0.01이 56개인 수	0.56	영 점 오육
0.01이 99개인 수	0.99	영 점 구구

★ 분수와 소수

$\frac{3}{100}$은 $\frac{1}{100}$이 3개인 수입니다. 분수 $\frac{3}{100}$은 소수로 0.03이라 쓰고, 영 점 영삼이라고 읽습니다.

$\frac{45}{100}$는 $\frac{1}{100}$이 45개인 수입니다. 분수 $\frac{45}{100}$는 소수로 0.45라 쓰고, 영 점 사오라고 읽습니다.

8 교과연산 D3 | 1주차. 소수 두 자리 수 9

10·11쪽

52일 1보다 큰 소수

월 일

■ 전체 크기가 1인 모눈종이 위에 색칠된 부분의 크기를 소수로 나타내어 보세요.

0.01이 100개이면 1입니다.

1.56

1.07

2.29

★ 소수 두 자리 수 (2)

$1\frac{32}{100}$에서 $\frac{32}{100}$를 소수로 나타내면 0.32입니다.

$1\frac{32}{100}$는 1과 0.32이므로 소수로 1.32라 쓰고, 일 점 삼이라고 읽습니다.

■ 소수로 나타내고 읽어 보세요.

자연수 부분은 자연수 그대로 읽고, 소수점 아래는 모든 숫자를 각각 따로 읽습니다.

	쓰기	읽기
$1\frac{59}{100}$	1.59	일 점 오구
$4\frac{8}{100}$	4.08	사 점 영팔
$12\frac{36}{100}$	12.36	십이 점 삼육
$35\frac{5}{100}$	35.05	삼십오 점 영오
0.01이 123개인 수	1.23	일 점 이삼
0.01이 514개인 수	5.14	오 점 일사
0.01이 209개인 수	2.09	이 점 영구

10 교과연산 D3 | 1주차. 소수 두 자리 수 11

12·13쪽

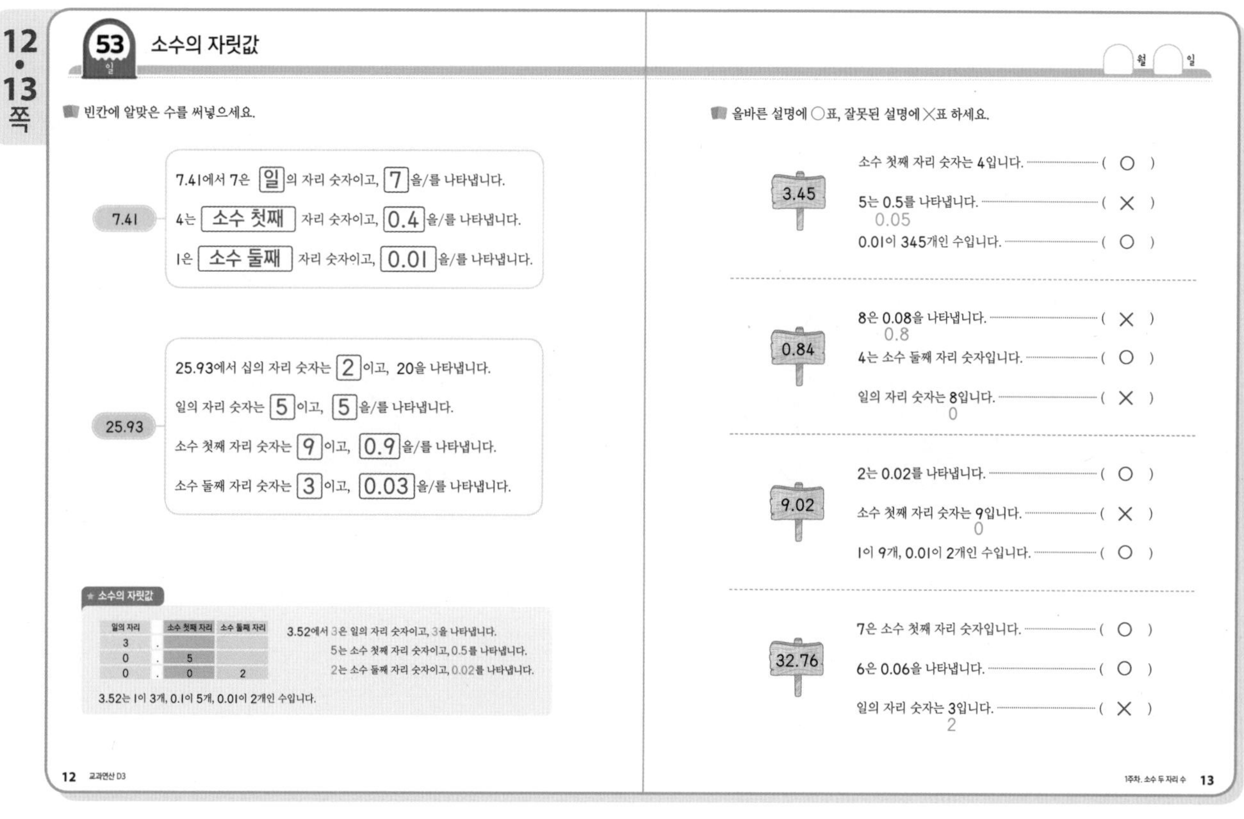

53 일 소수의 자릿값

빈칸에 알맞은 수를 써넣으세요.

7.41
- 7.41에서 7은 [일]의 자리 숫자이고, [7]을/를 나타냅니다.
- 4는 [소수 첫째] 자리 숫자이고, [0.4]을/를 나타냅니다.
- 1은 [소수 둘째] 자리 숫자이고, [0.01]을/를 나타냅니다.

25.93
- 25.93에서 십의 자리 숫자는 [2]이고, 20을 나타냅니다.
- 일의 자리 숫자는 [5]이고, [5]을/를 나타냅니다.
- 소수 첫째 자리 숫자는 [9]이고, [0.9]을/를 나타냅니다.
- 소수 둘째 자리 숫자는 [3]이고, [0.03]을/를 나타냅니다.

★ 소수의 자릿값

일의 자리		소수 첫째 자리	소수 둘째 자리
3	.		
0	.	5	
0	.	0	2

3.52에서 3은 일의 자리 숫자이고, 3을 나타냅니다.
5는 소수 첫째 자리 숫자이고, 0.5를 나타냅니다.
2는 소수 둘째 자리 숫자이고, 0.02를 나타냅니다.

3.52는 1이 3개, 0.1이 5개, 0.01이 2개인 수입니다.

12 교과연산 D3

월 일

올바른 설명에 ○표, 잘못된 설명에 ×표 하세요.

3.45
- 소수 첫째 자리 숫자는 4입니다. (○)
- 5는 0.5를 나타냅니다. (×) 0.05
- 0.01이 345개인 수입니다. (○)

0.84
- 8은 0.08을 나타냅니다. (×) 0.8
- 4는 소수 둘째 자리 숫자입니다. (○)
- 일의 자리 숫자는 8입니다. (×) 0

9.02
- 2는 0.02를 나타냅니다. (○)
- 소수 첫째 자리 숫자는 9입니다. (×) 0
- 1이 9개, 0.01이 2개인 수입니다. (○)

32.76
- 7은 소수 첫째 자리 숫자입니다. (○)
- 6은 0.06을 나타냅니다. (○)
- 일의 자리 숫자는 3입니다. (×) 2

1주차. 소수 두 자리 수 13

14·15쪽

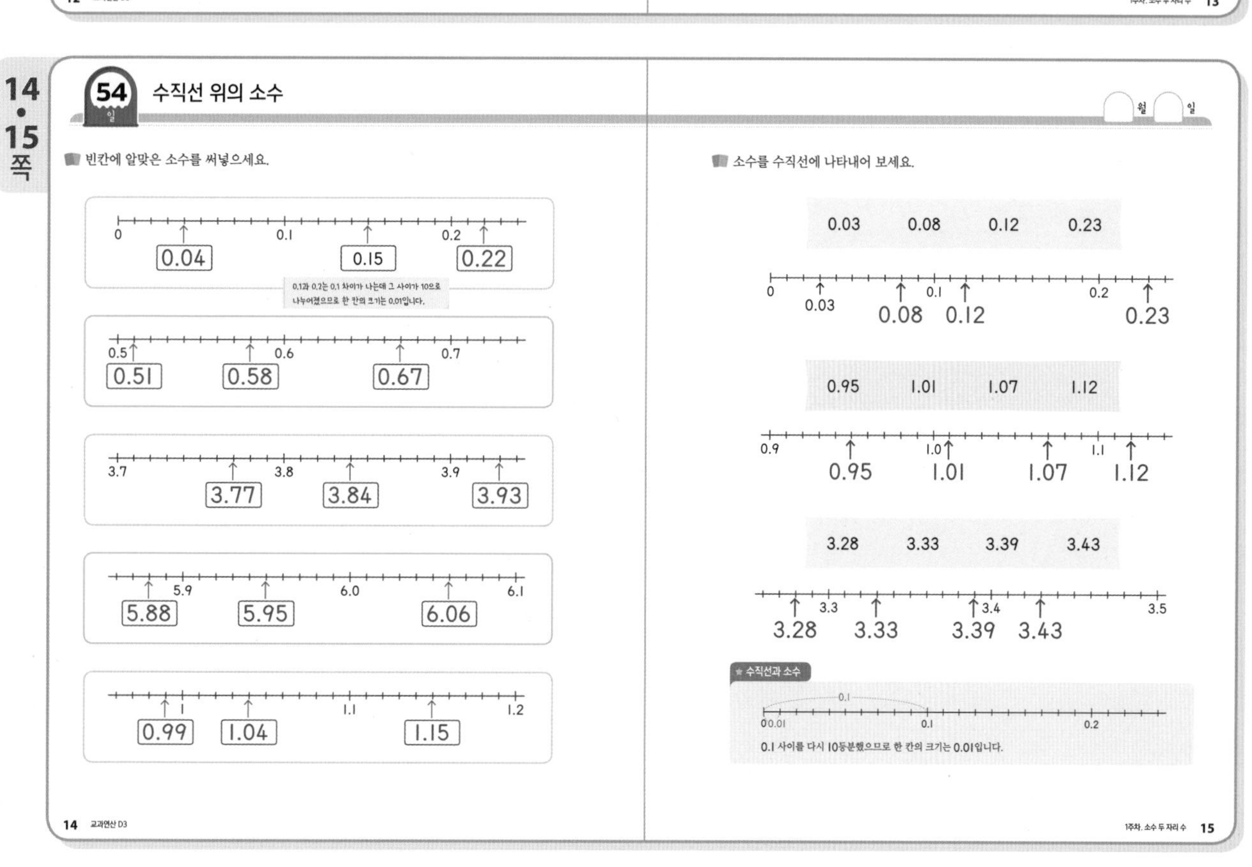

54 일 수직선 위의 소수

빈칸에 알맞은 소수를 써넣으세요.

- 0, 0.1, 0.2: [0.04] [0.15] [0.22]

0.1과 0.2는 0.1 차이가 나는데 그 사이가 10으로 나누어졌으므로 한 칸의 크기는 0.01입니다.

- 0.5, 0.6, 0.7: [0.51] [0.58] [0.67]
- 3.7, 3.8, 3.9: [3.77] [3.84] [3.93]
- 5.9, 6.0, 6.1: [5.88] [5.95] [6.06]
- 1, 1.1, 1.2: [0.99] [1.04] [1.15]

14 교과연산 D3

월 일

소수를 수직선에 나타내어 보세요.

0.03 0.08 0.12 0.23

0, 0.1, 0.2: 0.03, 0.08, 0.12, 0.23

0.95 1.01 1.07 1.12

0.9, 1.0, 1.1: 0.95, 1.01, 1.07, 1.12

3.28 3.33 3.39 3.43

3.3, 3.4, 3.5: 3.28, 3.33, 3.39, 3.43

★ 수직선과 소수

0, 0.01, 0.1, 0.2

0.1 사이를 다시 10등분했으므로 한 칸의 크기는 0.01입니다.

1주차. 소수 두 자리 수 15

16·17쪽

55일 소수 나타내기

월 일

빈칸에 알맞은 소수를 써넣으세요.

0.1이 5개, 0.01이 8개인 수는 [0.58]입니다.

0.1이 5개이면 0.5, 0.01이 8개이면 0.08입니다.

1이 9개, 0.1이 6개, 0.01이 2개인 수는 [9.62]입니다.

1이 4개, 0.01이 9개인 수는 [4.09]입니다.

10이 1개, 1이 3개, 0.1이 7개, 0.01이 3개인 수는 [13.73]입니다.

1이 5개, $\frac{1}{10}$이 3개, $\frac{1}{100}$이 9개인 수는 [5.39]입니다.

10이 2개, 1이 3개, $\frac{1}{10}$이 6개, $\frac{1}{100}$이 1개인 수는 [23.61]입니다.

일의 자리 숫자가 2, 소수 첫째 자리 숫자가 0, 소수 둘째 자리 숫자가 4인 수는 [2.04]입니다.

십의 자리 숫자가 5, 일의 자리 숫자가 0, 소수 첫째 자리 숫자가 1, 소수 둘째 자리 숫자가 2인 수는 [50.12]입니다.

빈칸에 알맞은 소수를 써넣으세요.

1cm
0 10 20 30 40 50 60 70 80 90 100cm
0 0.1 0.2 0.3 0.4 0.5 0.6 0.7 0.8 0.9 1m

10cm는 [0.1]m입니다.

10cm는 $\frac{1}{10}$m, 1cm는 $\frac{1}{100}$m입니다.

1cm는 [0.01]m입니다.

7cm는 [0.07]m입니다.

64cm는 [0.64]m입니다.

1cm는 0.01m이므로 64cm는 0.01이 64개인 0.64m입니다.

25cm는 [0.25]m입니다.

98cm는 [0.98]m입니다.

1m 38cm는 [1.38]m입니다.

1m와 0.38m이므로 1.38m입니다.

2m 6cm는 [2.06]m입니다.

2m와 0.06m이므로 2.06m입니다.

126cm는 [1.26]m입니다.

126cm는 1m 26cm입니다.

375cm는 [3.75]m입니다.

18쪽

막대의 길이를 cm와 m로 각각 나타내어 보세요.

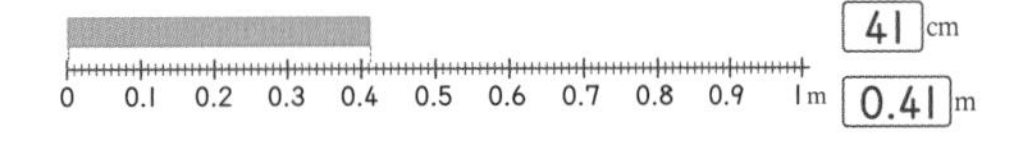

[41]cm

[0.41]m

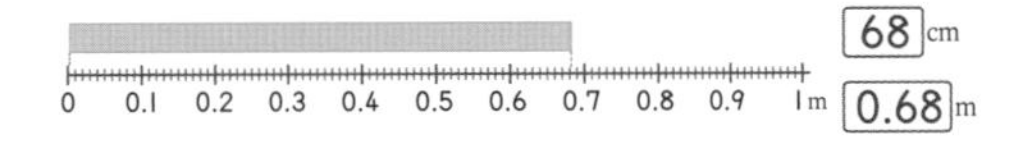

[68]cm

[0.68]m

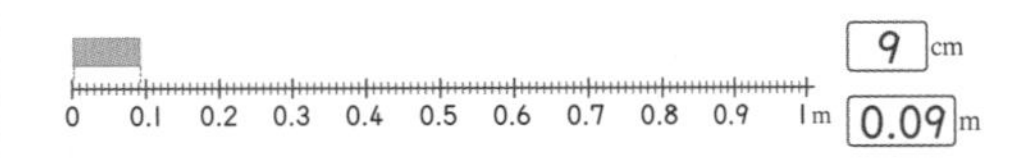

[9]cm

[0.09]m

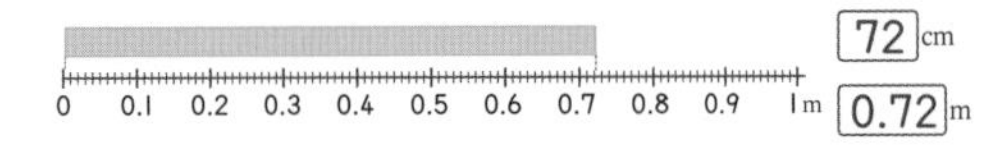

[72]cm

[0.72]m

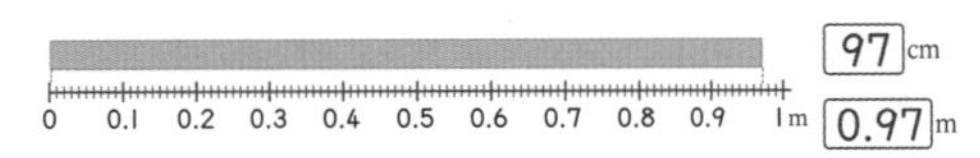

[97]cm

[0.97]m

20·21쪽

56일 1보다 작은 소수

월 일

전체 크기가 1인 모눈종이 위에 색칠된 부분의 크기를 소수로 나타내어 보세요.

0.135

0.596

전체를 10으로 나누면 0.1, 100으로 나누면 0.01, 1000으로 나누면 0.001입니다.

소수 세 자리 수를 나타내는 모눈종이에서 세로 한 줄(분홍색 부분)은 전체를 똑같이 10으로 나눈 것 중 하나이므로 0.1, 작은 정사각형(초록색 부분)은 전체를 똑같이 100으로 나눈 것 중 하나이므로 0.01, 가장 작은 직사각형(주황색 부분)은 전체를 똑같이 1000으로 나눈 것 중 하나이므로 0.001을 나타냅니다.

0.1 0.01 0.001

소수로 나타내고 읽어 보세요.

	쓰기	읽기
$\frac{5}{1000}$	0.005	영 점 영영오
$\frac{42}{1000}$	0.042	영 점 영사이
$\frac{296}{1000}$	0.296	영 점 이구육
$\frac{1}{1000}$이 99개인 수	0.099	영 점 영구구
$\frac{1}{1000}$이 183개인 수	0.183	영 점 일팔삼
0.001이 267개인 수	0.267	영 점 이육칠

★ 분수와 소수

$\frac{7}{1000}$은 $\frac{1}{1000}$이 7개인 수입니다. 분수 $\frac{7}{1000}$은 소수로 0.007이라 쓰고, 영 점 영영칠이라고 읽습니다.

$\frac{65}{1000}$는 $\frac{1}{1000}$이 65개인 수입니다. 분수 $\frac{65}{1000}$는 소수로 0.065라 쓰고, 영 점 영육오라고 읽습니다.

$\frac{123}{1000}$은 $\frac{1}{1000}$이 123개인 수입니다. 분수 $\frac{123}{1000}$은 소수로 0.123이라 쓰고, 영 점 일이삼이라고 읽습니다.

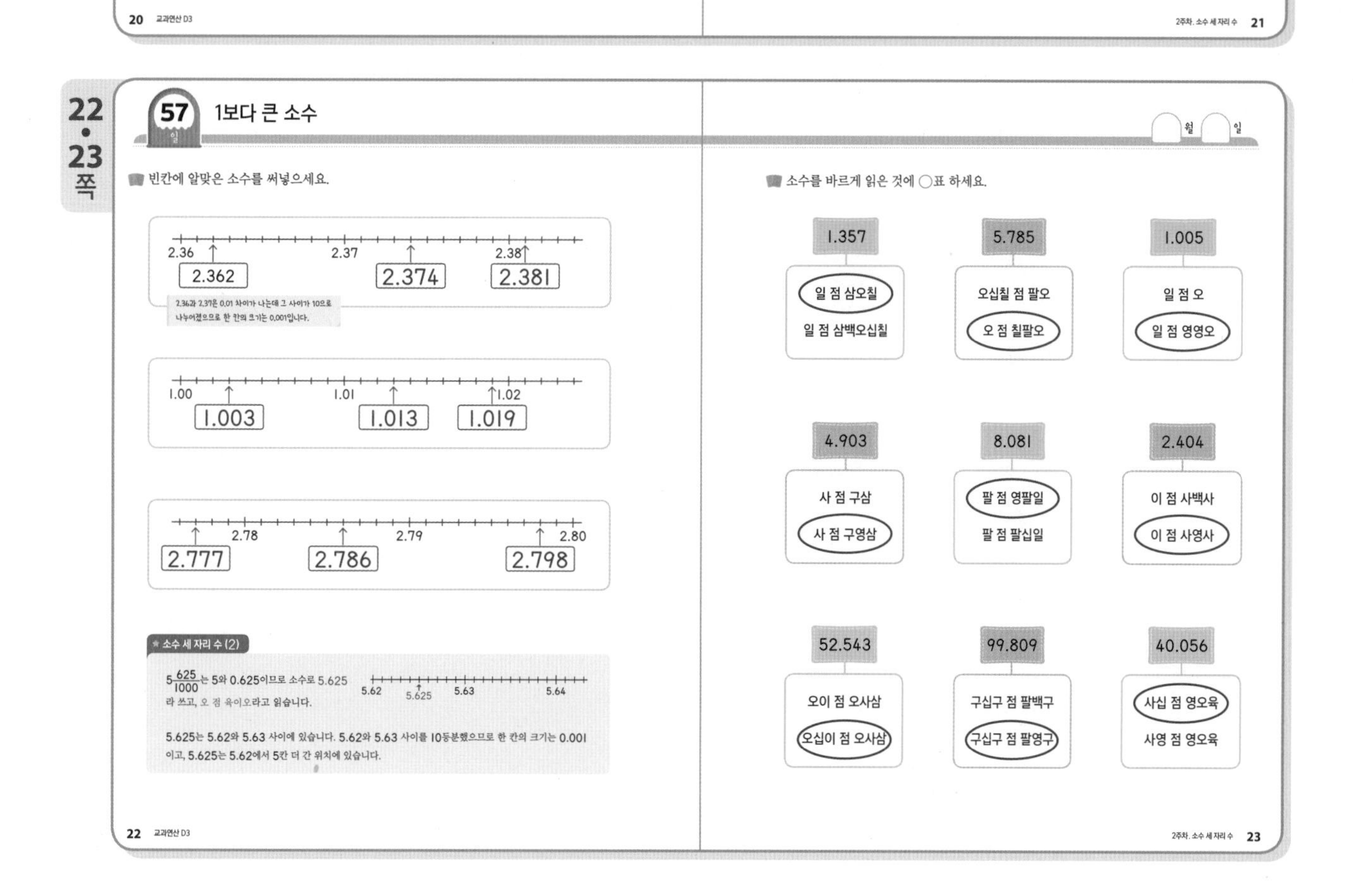

22·23쪽

57일 1보다 큰 소수

월 일

빈칸에 알맞은 소수를 써넣으세요.

2.36 2.37 2.38: 2.362, 2.374, 2.381

2.36과 2.37은 0.01 차이가 나는데 그 사이가 10으로 나누어졌으므로 한 칸의 크기는 0.001입니다.

1.00 1.01 1.02: 1.003, 1.013, 1.019

2.78 2.79 2.80: 2.777, 2.786, 2.798

★ 소수 세 자리 수 (2)

$5\frac{625}{1000}$는 5와 0.625이므로 소수로 5.625라 쓰고, 오 점 육이오라고 읽습니다.

5.62 5.625 5.63 5.64

5.625는 5.62와 5.63 사이에 있습니다. 5.62와 5.63 사이를 10등분했으므로 한 칸의 크기는 0.001이고, 5.625는 5.62에서 5칸 더 간 위치에 있습니다.

소수를 바르게 읽은 것에 ◯표 하세요.

1.357	(일 점 삼오칠)	일 점 삼백오십칠
5.785	오십칠 점 팔오	(오 점 칠팔오)
1.005	일 점 오	(일 점 영영오)
4.903	사 점 구삼	(사 점 구영삼)
8.081	(팔 점 영팔일)	팔 점 팔십일
2.404	이 점 사백사	(이 점 사영사)
52.543	오이 점 오사삼	(오십이 점 오사삼)
99.809	구십구 점 팔백구	(구십구 점 팔영구)
40.056	(사십 점 영오육)	사영 점 영오육

24 • 25 쪽

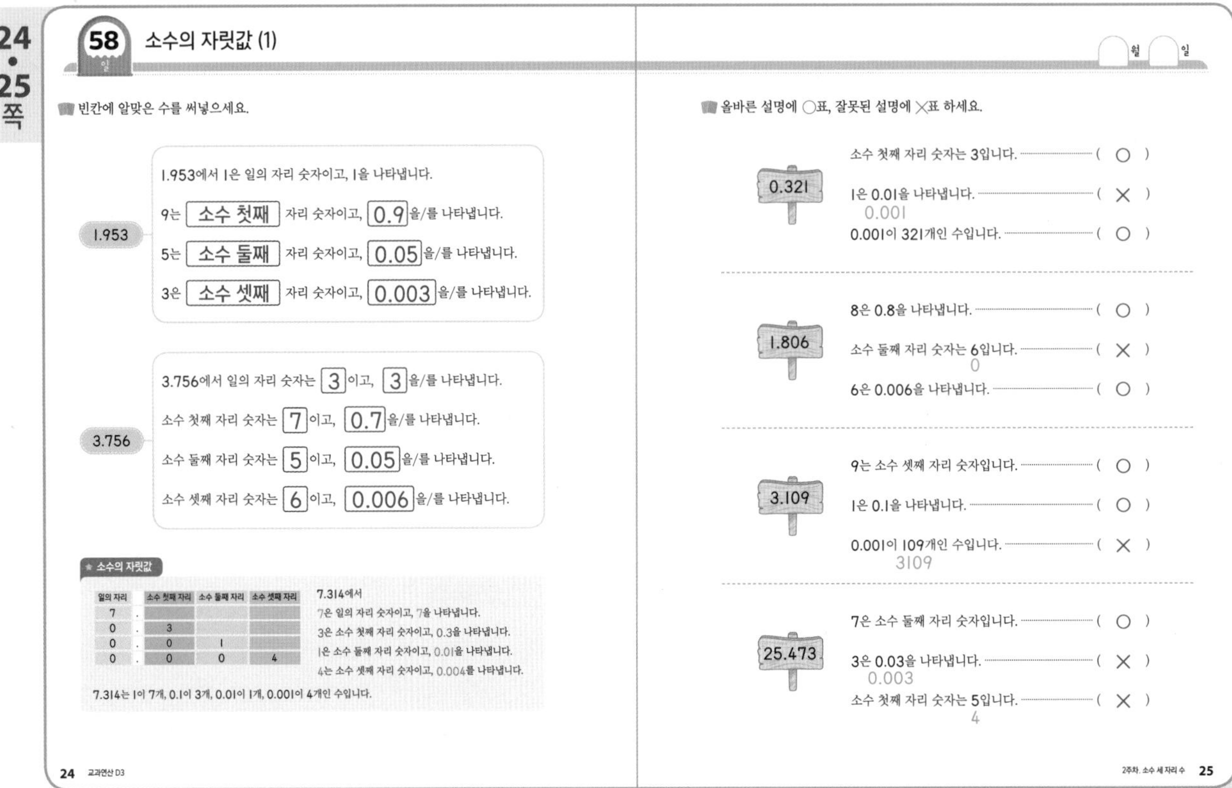

58 소수의 자릿값 (1)

빈칸에 알맞은 수를 써넣으세요.

1.953

1.953에서 1은 일의 자리 숫자이고, 1을 나타냅니다.

9는 [소수 첫째] 자리 숫자이고, [0.9]을/를 나타냅니다.

5는 [소수 둘째] 자리 숫자이고, [0.05]을/를 나타냅니다.

3은 [소수 셋째] 자리 숫자이고, [0.003]을/를 나타냅니다.

3.756

3.756에서 일의 자리 숫자는 [3]이고, [3]을/를 나타냅니다.

소수 첫째 자리 숫자는 [7]이고, [0.7]을/를 나타냅니다.

소수 둘째 자리 숫자는 [5]이고, [0.05]을/를 나타냅니다.

소수 셋째 자리 숫자는 [6]이고, [0.006]을/를 나타냅니다.

★ 소수의 자릿값

일의 자리		소수 첫째 자리	소수 둘째 자리	소수 셋째 자리
7	.			
0	.	3		
0	.	0	1	
0	.	0	0	4

7.314에서
7은 일의 자리 숫자이고, 7을 나타냅니다.
3은 소수 첫째 자리 숫자이고, 0.3을 나타냅니다.
1은 소수 둘째 자리 숫자이고, 0.01을 나타냅니다.
4는 소수 셋째 자리 숫자이고, 0.004를 나타냅니다.

7.314는 1이 7개, 0.1이 3개, 0.01이 1개, 0.001이 4개인 수입니다.

24 교과연산 D3

월 일

올바른 설명에 ○표, 잘못된 설명에 ×표 하세요.

0.321
- 소수 첫째 자리 숫자는 3입니다. (○)
- 1은 0.01을 나타냅니다. (×) 0.001
- 0.001이 321개인 수입니다. (○)

1.806
- 8은 0.8을 나타냅니다. (○)
- 소수 둘째 자리 숫자는 6입니다. (×) 0
- 6은 0.006을 나타냅니다. (○)

3.109
- 9는 소수 셋째 자리 숫자입니다. (○)
- 1은 0.1을 나타냅니다. (○)
- 0.001이 109개인 수입니다. (×) 3109

25.473
- 7은 소수 둘째 자리 숫자입니다. (○)
- 3은 0.03을 나타냅니다. (×) 0.003
- 소수 첫째 자리 숫자는 5입니다. (×) 4

2주차: 소수 세 자리 수 25

26 • 27 쪽

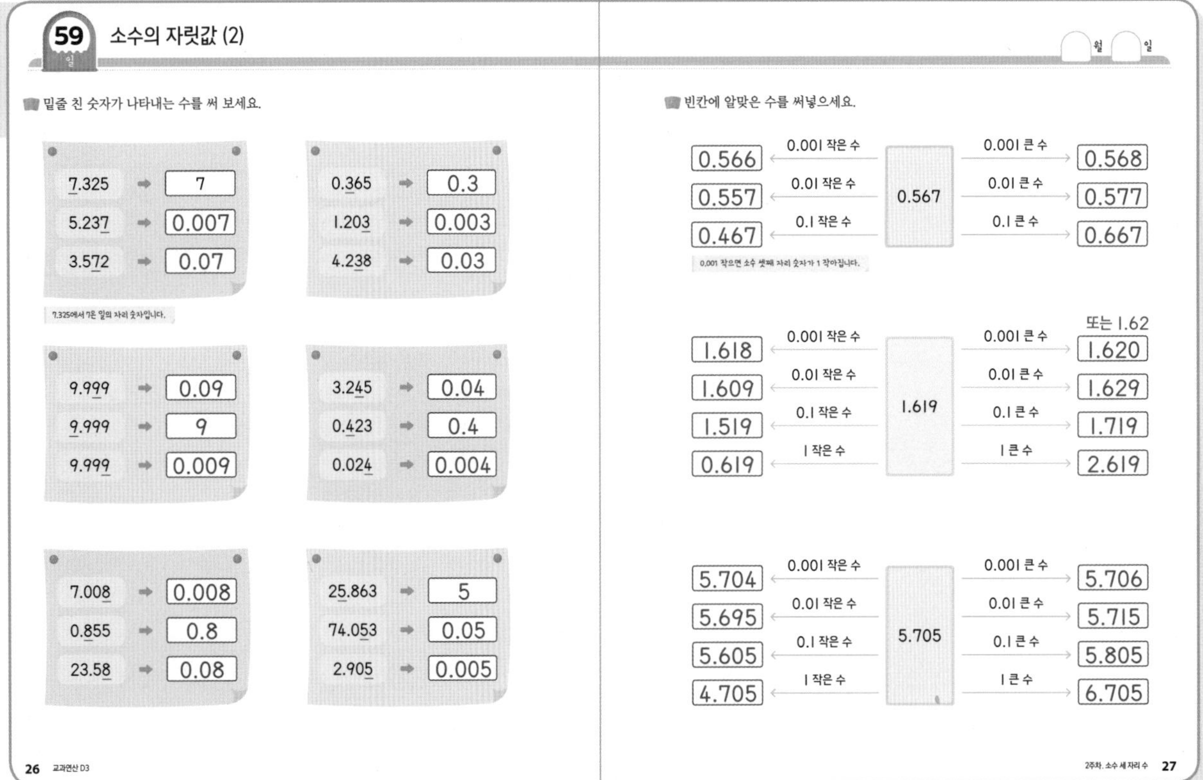

59 소수의 자릿값 (2)

밑줄 친 숫자가 나타내는 수를 써 보세요.

- 7.325 → [7]
- 5.237 → [0.007]
- 3.572 → [0.07]

7.325에서 7은 일의 자리 숫자입니다.

- 0.365 → [0.3]
- 1.203 → [0.003]
- 4.238 → [0.03]

- 9.999 → [0.09]
- 9.999 → [9]
- 9.999 → [0.009]

- 3.245 → [0.04]
- 0.423 → [0.4]
- 0.024 → [0.004]

- 7.008 → [0.008]
- 0.855 → [0.8]
- 23.58 → [0.08]

- 25.863 → [5]
- 74.053 → [0.05]
- 2.905 → [0.005]

26 교과연산 D3

월 일

빈칸에 알맞은 수를 써넣으세요.

0.567
- 0.001 작은 수: [0.566] / 0.001 큰 수: [0.568]
- 0.01 작은 수: [0.557] / 0.01 큰 수: [0.577]
- 0.1 작은 수: [0.467] / 0.1 큰 수: [0.667]

0.001 작으면 소수 셋째 자리 숫자가 1 작아집니다.

1.619
- 0.001 작은 수: [1.618] / 0.001 큰 수: [1.620] 또는 1.62
- 0.01 작은 수: [1.609] / 0.01 큰 수: [1.629]
- 0.1 작은 수: [1.519] / 0.1 큰 수: [1.719]
- 1 작은 수: [0.619] / 1 큰 수: [2.619]

5.705
- 0.001 작은 수: [5.704] / 0.001 큰 수: [5.706]
- 0.01 작은 수: [5.695] / 0.01 큰 수: [5.715]
- 0.1 작은 수: [5.605] / 0.1 큰 수: [5.805]
- 1 작은 수: [4.705] / 1 큰 수: [6.705]

2주차: 소수 세 자리 수 27

소수로 나타내기

■ 빈칸에 알맞은 소수를 써넣으세요.

0.1이 2개, 0.01이 5개, 0.001이 6개인 수는 [0.256]입니다.

0.1이 2개이면 0.2, 0.01이 5개이면 0.05, 0.001이 6개이면 0.006입니다.

1이 7개, 0.1이 6개, 0.01이 5개, 0.001이 4개인 수는 [7.654]입니다.

1이 2개, 0.01이 9개, 0.001이 8개인 수는 [2.098]입니다.

10이 1개, 1이 3개, 0.1이 4개, 0.001이 5개인 수는 [13.405]입니다.

1이 9개, $\frac{1}{10}$이 5개, $\frac{1}{100}$이 3개, $\frac{1}{1000}$이 1개인 수는 [9.531]입니다.

$\frac{1}{100}$이 8개, $\frac{1}{1000}$이 7개인 수는 [0.087]입니다.

10이 4개, 1이 2개, $\frac{1}{10}$이 6개, $\frac{1}{1000}$이 3개인 수는 [42.603]입니다.

월 일

■ 빈칸에 알맞은 수를 써넣으세요.

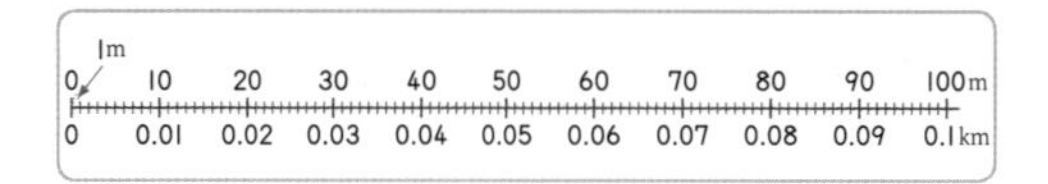

1000m는 1km입니다.

100m는 [0.1]km입니다.

100m는 $\frac{1}{10}$km, 10m는 $\frac{1}{100}$km, 1m는 $\frac{1}{1000}$km입니다.

10m는 [0.01]km입니다.

1m는 [0.001]km입니다.

3m는 [0.003]km입니다.

27m는 [0.027]km입니다.
1m는 0.001km이므로 27m는 0.001이 27개인 0.027km입니다.

305m는 [0.305]km입니다.

973m는 [0.973]km입니다.

3000m는 [3]km입니다.
1000m는 1km이므로 3000m는 3km(3.000km)입니다.

1235m는 [1.235]km입니다.
1235m는 1km 235m입니다. 1km와 0.235km이므로 1.235km입니다.

3500m는 [3.5]km입니다.
3.500km로 나타낼 수도 있습니다.

1160m는 [1.16]km입니다.
1.160km로 나타낼 수도 있습니다.

30 쪽

■ 설명에 알맞은 수를 써 보세요.

- 소수 세 자리 수입니다.
- 3보다 크고 4보다 작습니다. → 일의 자리 숫자는 3
- 소수 첫째 자리 숫자는 5입니다.
- 소수 둘째 자리 숫자는 0입니다.
- 소수 셋째 자리 숫자는 7입니다.

(3.507)

- 소수 세 자리 수입니다.
- 9보다 크고 10보다 작습니다. → 일의 자리 숫자는 9
- 소수 첫째 자리 숫자는 0입니다.
- 소수 둘째 자리 숫자는 1입니다.
- 소수 셋째 자리 숫자는 3입니다.

(9.013)

- 소수 세 자리 수입니다.
- 0.1보다 크고 0.2보다 작습니다. → 일의 자리 숫자는 0, 소수 첫째 자리 숫자는 1
- 소수 둘째 자리 숫자는 6입니다.
- 소수 셋째 자리 숫자는 4입니다.

(0.164)

- 소수 세 자리 수입니다.
- 0.06보다 크고 0.07보다 작습니다. → 일의 자리 숫자는 0, 소수 첫째 자리 숫자는 0, 소수 둘째 자리 숫자는 6
- 소수 셋째 자리 숫자는 5입니다.

(0.065)

정답

32·33쪽

61 크기가 같은 소수

■ 전체 크기가 1인 모눈종이입니다. 소수만큼 색칠하고 두 수의 크기를 비교하여 ○ 안에 >, =, <를 알맞게 써넣으세요.

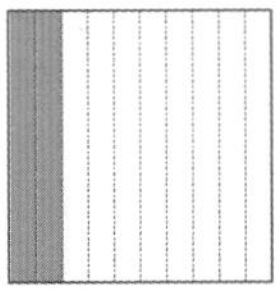

0.2 (=) 0.20

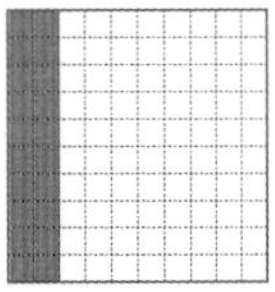

20칸 색칠하면 정답입니다.

0.50 (=) 0.5

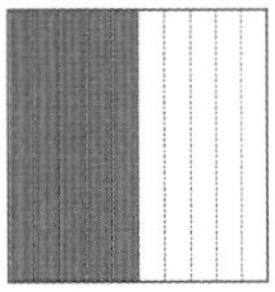

50칸 색칠하면 정답입니다.

5칸 색칠하면 정답입니다.

★ 0의 생략

0.1 = 0.10 = 0.100

0.1과 0.10, 0.100은 같은 수입니다. 필요한 경우 소수의 오른쪽 끝자리에 0을 붙여서 나타낼 수 있습니다.
소수점 아래 숫자 중에서 오른쪽 끝자리에 0이 있다면 그 0은 생략할 수 있습니다.

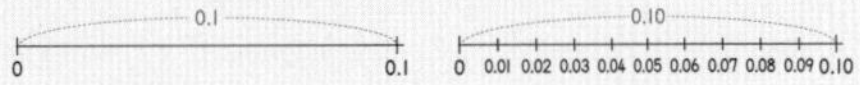

■ 소수에서 생략할 수 있는 0을 모두 찾아 0을 /로 지워 보세요.

5.87~~0~~	0.58	3.8~~0~~	1.009
10.24	13.76~~0~~	0.07	10.04~~0~~
0.078	7.4~~00~~	20.9~~0~~	5.808
29.75~~0~~	0.006~~0~~	40.005	0.011
50.005	8.806	0.24~~0~~	21.9~~00~~
13.04	5.~~0~~	6.1~~0~~	3.003

34·35쪽

62 두 수의 크기 비교

■ 두 소수를 수직선에 나타내고, 두 수의 크기를 비교하여 ○ 안에 >, =, <를 알맞게 써넣으세요.

3.9 (<) 4.02

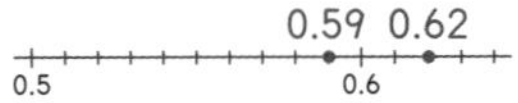

0.62 (>) 0.59

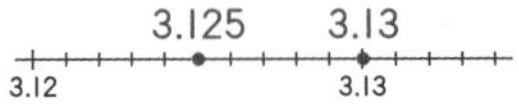

3.125 (<) 3.13

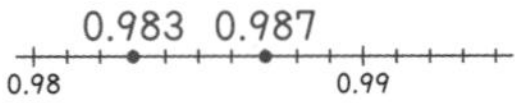

0.987 (>) 0.983

★ 소수의 크기 비교

일의 자리 이상이 크면 더 큰 수입니다.	일의 자리 이상이 같으면 소수 첫째 자리 숫자를 비교합니다.	소수 첫째 자리 숫자가 같으면 소수 둘째 자리 숫자를 비교합니다.	소수 둘째 자리 숫자가 같으면 소수 셋째 자리 숫자를 비교합니다.
3.7 > 2.98 9.876 < 13.876 1.45 > 0.58	0.35 > 0.28 1.437 < 1.509 5.81 > 5.584	0.42 > 0.418 2.385 < 2.392 13.59 > 13.525	0.127 > 0.123 5.383 < 5.385 8.008 > 8.004

■ 두 수의 크기를 비교하여 ○ 안에 >, =, <를 알맞게 써넣으세요.

0.58 (<) 0.71	0.783 (<) 0.785
13.67 (>) 9.67	0.36 (=) 0.360
0.375 (>) 0.37	2.68 (<) 2.8
6.007 (<) 6.013	8.48 (>) 8.478
3.700 (=) 3.7	1.1 (>) 1.01
10.096 (<) 10.69	0.09 (<) 0.1
12.34 (>) 1.234	21.954 (<) 21.96

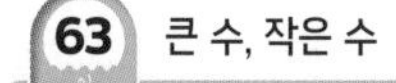

63 큰 수, 작은 수

■ 작은 수부터 차례로 써 보세요.

0.63	1.25	0.626	1.52

(0.626 , 0.63 , 1.25 , 1.52)

33.92	3.39	3.389	33.91

(3.389 , 3.39 , 33.91 , 33.92)

0.71	0.658	0.714	0.705

(0.658 , 0.705 , 0.71 , 0.714)

0.09	0.01	0.1	1.09

(0.01 , 0.09 , 0.1 , 1.09)

1.005	1.05	1.051	1.015

(1.005 , 1.015 , 1.05 , 1.051)

소수 둘째 자리 비교: 1.005 < 1.015 < 1.05, 1.051
소수 셋째 자리 비교: 1.050 < 1.051

■ 물음에 답하세요.

길이가 가장 긴 것부터 차례로 이름을 써 보세요.

하나의 단위로 나타냅니다.

빗자루	목도리	지팡이
1.2m	105cm	0.86m

1.05m

(빗자루 , 목도리 , 지팡이)

무게가 가장 무거운 것부터 차례로 이름을 써 보세요.

1kg = 1000g

호박	무	양배추
0.785kg	1130g	0.79kg

1.13kg

(무 , 양배추 , 호박)

학교에서 각각 준서, 지은, 정우네 집까지 가는 거리입니다. 집까지 가는 거리가 가장 가까운 사람부터 이름을 써 보세요.

준서	지은	정우
1.23km	1.304km	1080m

1.08km

(정우 , 준서 , 지은)

64 10배와 $\frac{1}{10}$

■ 빈칸에 알맞은 수를 써넣으세요.

→ 10배 ← $\frac{1}{10}$

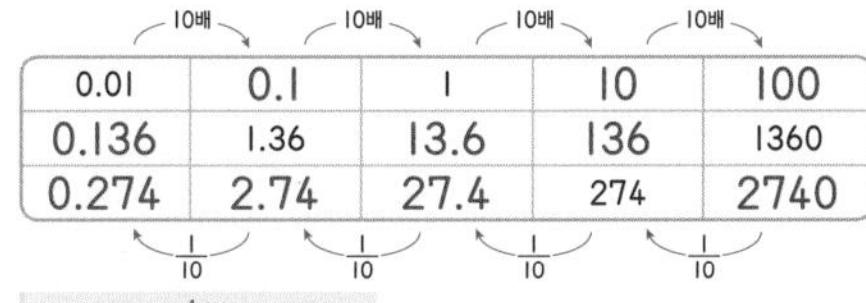

0.01	0.1	1	10	100
0.136	1.36	13.6	136	1360
0.274	2.74	27.4	274	2740

10배 하면 수가 커지고, $\frac{1}{10}$을 하면 수가 작아집니다.

0.03	0.3	3	30	300
0.017	0.17	1.7	17	170
0.354	3.54	35.4	354	3540

★ 소수 사이의 관계

수를 10배 하면 소수점이 오른쪽으로 1칸, 100배 하면 소수점이 오른쪽으로 2칸 이동하는 것과 같습니다.
수를 $\frac{1}{10}$을 하면 소수점이 왼쪽으로 1칸, $\frac{1}{100}$을 하면 소수점이 왼쪽으로 2칸 이동하는 것과 같습니다.

10배 0.5 ➡ 5.0 ➡ 5 100배 0.5 ➡ 50.0 ➡ 50

$\frac{1}{10}$ 0.5 ➡ 0.05 $\frac{1}{100}$ 0.5 ➡ 0.005

■ 빈칸에 알맞은 수를 써넣으세요.

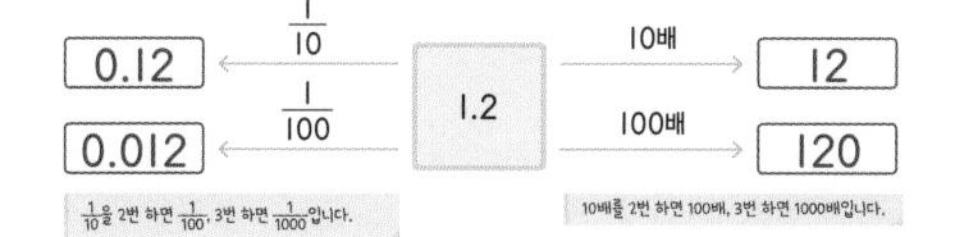

1.2: $\frac{1}{10}$ → 0.12, $\frac{1}{100}$ → 0.012, 10배 → 12, 100배 → 120

$\frac{1}{10}$을 2번 하면 $\frac{1}{100}$, 3번 하면 $\frac{1}{1000}$입니다.

10배를 2번 하면 100배, 3번 하면 1000배입니다.

987.3: $\frac{1}{10}$ → 98.73, $\frac{1}{100}$ → 9.873, 10배 → 9873, 100배 → 98730

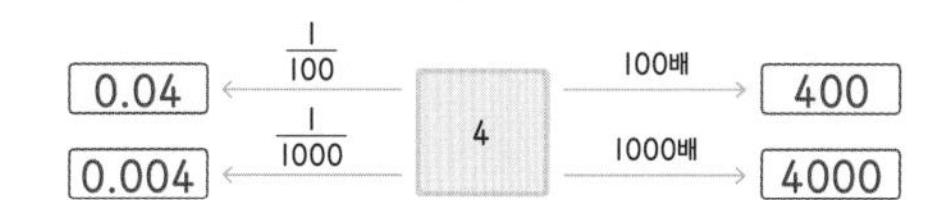

4: $\frac{1}{100}$ → 0.04, $\frac{1}{1000}$ → 0.004, 100배 → 400, 1000배 → 4000

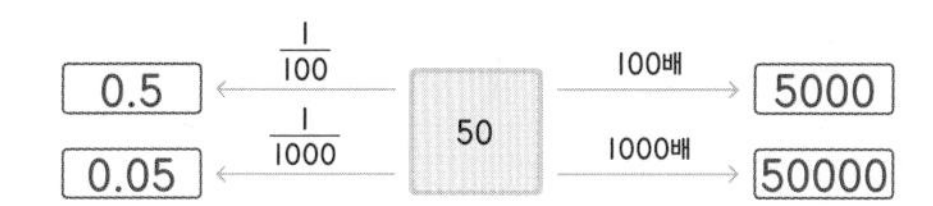

50: $\frac{1}{100}$ → 0.5, $\frac{1}{1000}$ → 0.05, 100배 → 5000, 1000배 → 50000

정답

40·41쪽

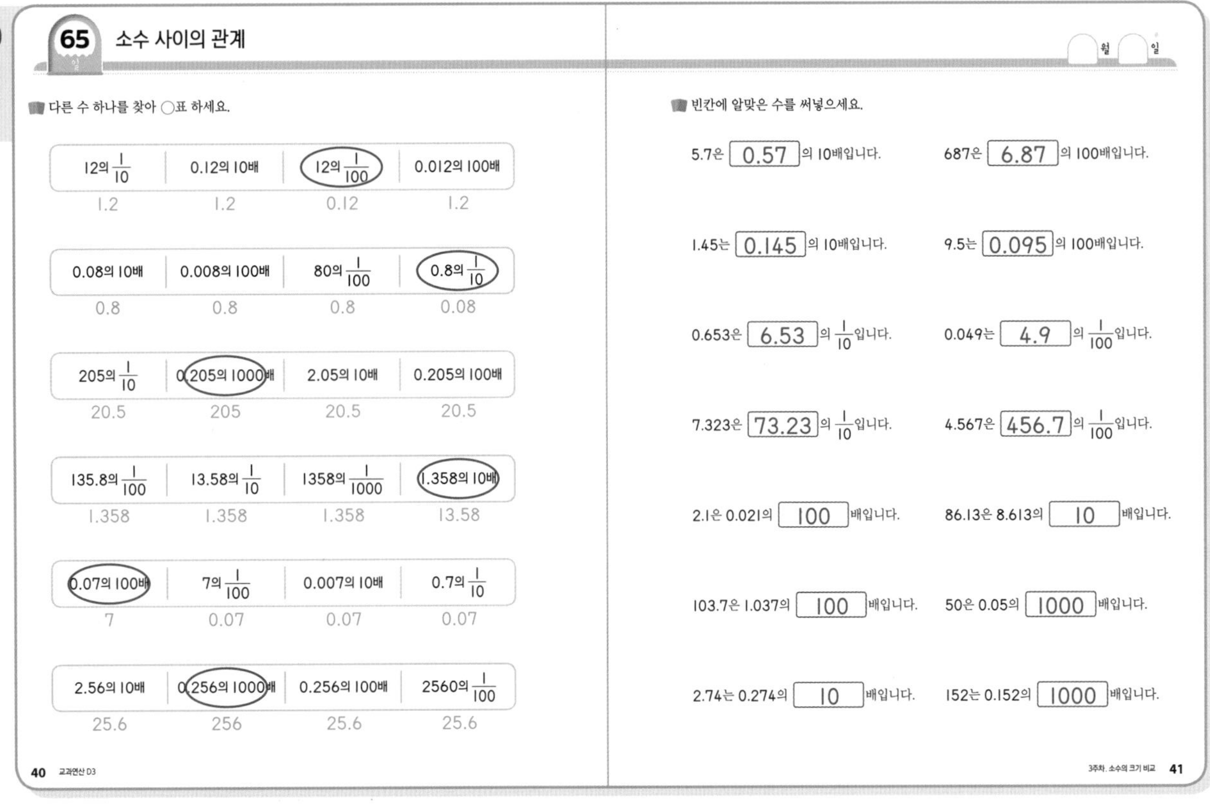

65 소수 사이의 관계

월 일

다른 수 하나를 찾아 ○표 하세요.

12의 $\frac{1}{10}$	0.12의 10배	(12의 $\frac{1}{100}$)	0.012의 100배
1.2	1.2	0.12	1.2
0.08의 10배	0.008의 100배	80의 $\frac{1}{100}$	(0.8의 $\frac{1}{10}$)
0.8	0.8	0.8	0.08
205의 $\frac{1}{10}$	(0.205의 1000배)	2.05의 10배	0.205의 100배
20.5	205	20.5	20.5
135.8의 $\frac{1}{100}$	13.58의 $\frac{1}{10}$	1358의 $\frac{1}{1000}$	(1.358의 10배)
1.358	1.358	1.358	13.58
(0.07의 100배)	7의 $\frac{1}{100}$	0.007의 10배	0.7의 $\frac{1}{10}$
7	0.07	0.07	0.07
2.56의 10배	(0.256의 1000배)	0.256의 100배	2560의 $\frac{1}{100}$
25.6	256	25.6	25.6

빈칸에 알맞은 수를 써넣으세요.

5.7은 [0.57]의 10배입니다.

687은 [6.87]의 100배입니다.

1.45는 [0.145]의 10배입니다.

9.5는 [0.095]의 100배입니다.

0.653은 [6.53]의 $\frac{1}{10}$입니다.

0.049는 [4.9]의 $\frac{1}{100}$입니다.

7.323은 [73.23]의 $\frac{1}{10}$입니다.

4.567은 [456.7]의 $\frac{1}{100}$입니다.

2.1은 0.021의 [100]배입니다.

86.13은 8.613의 [10]배입니다.

103.7은 1.037의 [100]배입니다.

50은 0.05의 [1000]배입니다.

2.74는 0.274의 [10]배입니다.

152는 0.152의 [1000]배입니다.

40 교과연산 D3

3주차. 소수의 크기 비교 41

42쪽

물음에 답하세요.

상자 1개의 무게는 0.659kg입니다. 상자 100개는 몇 kg일까요?

(65.9kg)

집에서 병원까지 가는 거리는 6.5km이고, 집에서 공원까지 가는 거리는 병원까지 가는 거리의 $\frac{1}{10}$입니다. 집에서 공원까지 가는 거리는 몇 km일까요?

(0.65km)

진서의 키는 1.5m입니다. 진서네 아파트의 높이는 진서 키의 100배이고, 아파트 앞 느티나무의 높이는 아파트 높이의 $\frac{1}{10}$입니다. 느티나무의 높이는 몇 m일까요?

1.5m → 150m → 15m

(15m)

가위바위보를 하여 이기면 점수가 10배가 되고, 지면 점수의 $\frac{1}{10}$이 됩니다. 지윤이는 0.01점에서 가위바위보를 하여 2번 이기고, 1번 졌습니다. 지금 지윤이의 점수는 몇 점일까요?

0.01점 → 1점 → 0.1점

(0.1점)

42 교과연산 D3

44 · 45 쪽

66 소수 한 자리 수 덧셈

월 일

수직선에 나타내고, 소수의 덧셈을 해 보세요.

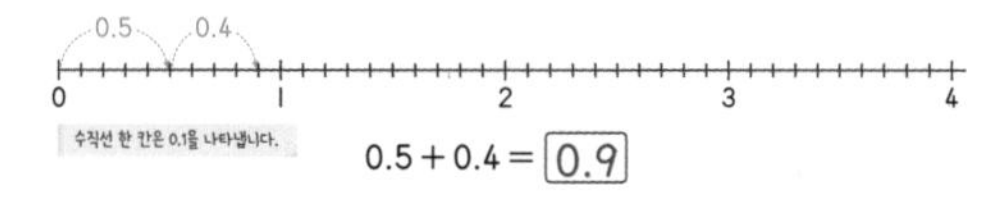

수직선 한 칸은 0.1을 나타냅니다.

0.5 + 0.4 = 0.9

1.3 + 0.5 = 1.8

0.8 + 1.2 = 2 또는 2.0

2 + 1.3 = 3.3

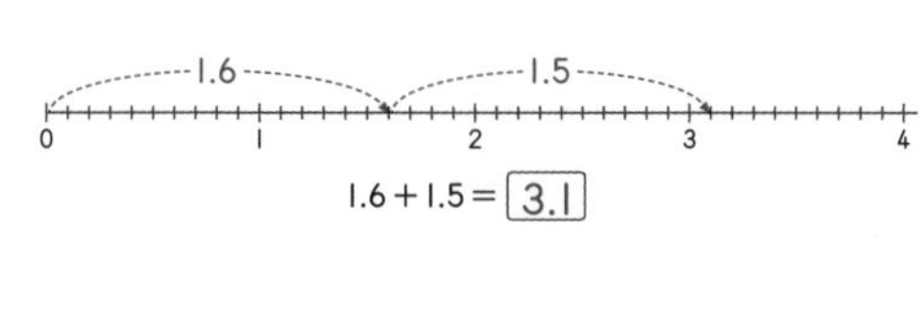

1.6 + 1.5 = 3.1

계산을 하세요.

0.5 + 0.2	2.3 + 0.4	0.8 + 1.1	2.0 + 1.6
0.7	2.7	1.9	3.6
0.7 + 0.8	**4.4 + 0.8**	**2.3 + 3.7**	**1.6 + 6.0**
1.5	5.2	6.0 또는 6	7.6

0.6 + 0.3 = 0.9

소수점끼리 맞추고 같은 자리 수끼리 더합니다.

1.2 + 2.4 = 3.6

0.7 + 2.1 = 2.8

5.5 + 0.8 = 6.3

2.8 + 1.6 = 4.4

3.7 + 4.9 = 8.6

세로로 덧셈하기

소수점끼리 맞추어 쓰고 같은 자리 수끼리 더합니다. 받아올림이 있는 경우 자연수의 덧셈과 같은 방법으로 받아올림을 합니다.

0.3 + 1.4 = 1.7

4.7 + 2.5 = 7.2

46 · 47 쪽

67 소수 한 자리 수 뺄셈

월 일

수직선에 나타내고, 소수의 뺄셈을 해 보세요.

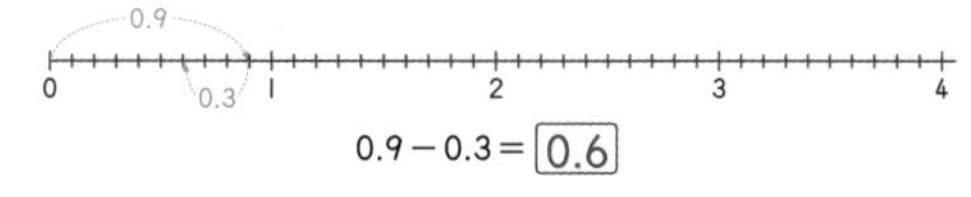

0.9 − 0.3 = 0.6

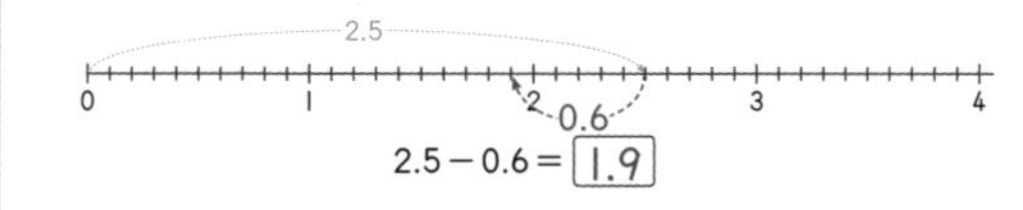

2.5 − 0.6 = 1.9

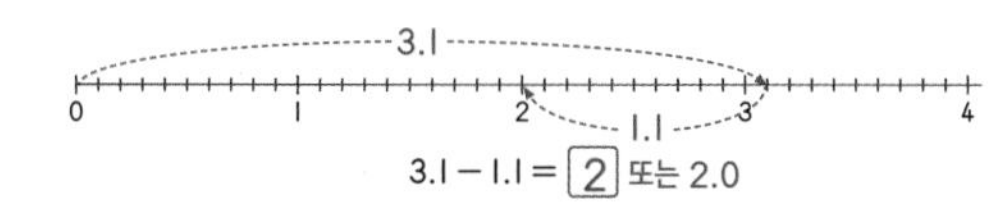

3.1 − 1.1 = 2 또는 2.0

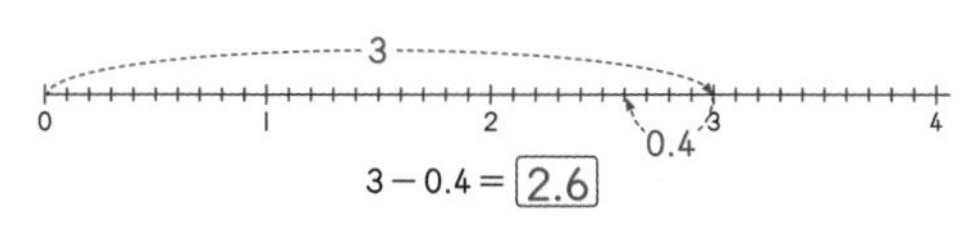

3 − 0.4 = 2.6

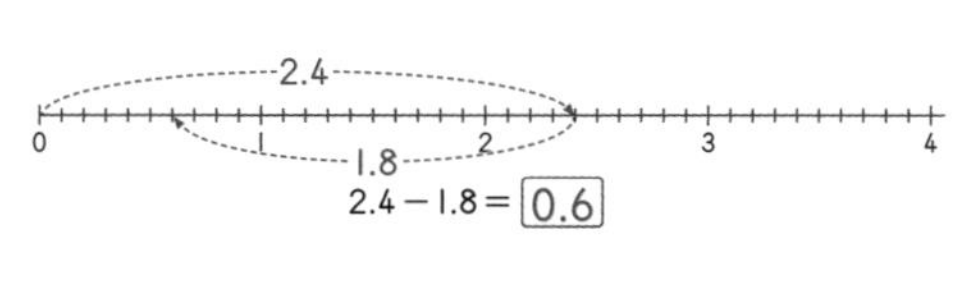

2.4 − 1.8 = 0.6

계산을 하세요.

0.8 − 0.7	1.5 − 0.3	4.9 − 2.3	1.2 − 0.5
0.1	1.2	2.6	0.7
6.3 − 2.6	**3.4 − 0.8**	**3.0 − 2.7**	**7.0 − 3.9**
3.7	2.6	0.3	3.1

0.6 − 0.2 = 0.4

2.7 − 1.6 = 1.1

3.9 − 0.7 = 3.2

4.4 − 0.9 = 3.5

9.3 − 3.8 = 5.5

7.5 − 6.7 = 0.8

세로로 뺄셈하기

소수점끼리 맞추어 쓰고 같은 자리 수끼리 뺍니다. 받아내림이 있는 경우 자연수의 뺄셈과 같은 방법으로 받아내림을 합니다.

1.6 − 0.2 = 1.4

5.2 − 1.3 = 3.9

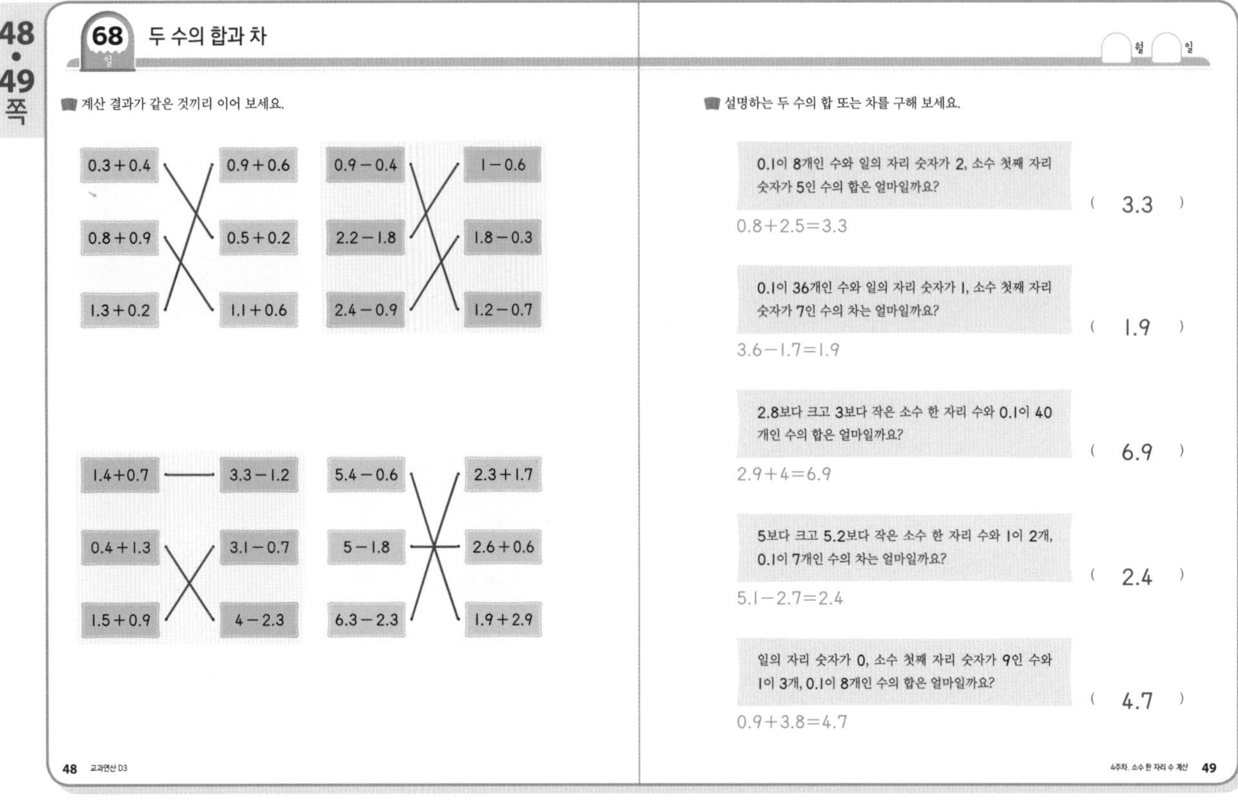

48·49쪽

68 두 수의 합과 차

월 일

계산 결과가 같은 것끼리 이어 보세요.

0.3+0.4	0.9+0.6	0.9−0.4	1−0.6
0.8+0.9	0.5+0.2	2.2−1.8	1.8−0.3
1.3+0.2	1.1+0.6	2.4−0.9	1.2−0.7

1.4+0.7	3.3−1.2	5.4−0.6	2.3+1.7
0.4+1.3	3.1−0.7	5−1.8	2.6+0.6
1.5+0.9	4−2.3	6.3−2.3	1.9+2.9

설명하는 두 수의 합 또는 차를 구해 보세요.

0.1이 8개인 수와 일의 자리 숫자가 2, 소수 첫째 자리 숫자가 5인 수의 합은 얼마일까요? (3.3)

0.8+2.5=3.3

0.1이 36개인 수와 일의 자리 숫자가 1, 소수 첫째 자리 숫자가 7인 수의 차는 얼마일까요? (1.9)

3.6−1.7=1.9

2.8보다 크고 3보다 작은 소수 한 자리 수와 0.1이 40개인 수의 합은 얼마일까요? (6.9)

2.9+4=6.9

5보다 크고 5.2보다 작은 소수 한 자리 수와 1이 2개, 0.1이 7개인 수의 차는 얼마일까요? (2.4)

5.1−2.7=2.4

일의 자리 숫자가 0, 소수 첫째 자리 숫자가 9인 수와 1이 3개, 0.1이 8개인 수의 합은 얼마일까요? (4.7)

0.9+3.8=4.7

48 교과연산 D3 4주차. 소수 한 자리 수 계산 49

50·51쪽

69 이야기하기

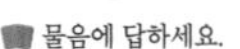

월 일

물음에 답하세요.

크레파스의 길이는 2.8cm이고, 연필의 길이는 크레파스보다 4.5cm 더 깁니다. 연필의 길이는 몇 cm일까요?

식 2.8+4.5=7.3 답 7.3 cm

집에서 학교까지 가는 거리는 0.7km, 학교에서 도서관까지 가는 거리는 1.6km입니다. 집에서 학교를 지나 도서관까지 가는 거리는 몇 km일까요?

식 0.7+1.6=2.3 답 2.3 km

다영이와 주영이가 멀리뛰기를 하였습니다. 다영이는 3m, 주영이는 2.4m 뛰었습니다. 다영이는 주영이보다 몇 m 더 멀리 뛰었을까요?

식 3−2.4=0.6 답 0.6 m

과일이 들어 있는 상자의 무게를 재었더니 8.2kg이고, 과일을 꺼낸 상자의 무게를 재었더니 1.3kg입니다. 과일의 무게는 몇 kg일까요?

식 8.2−1.3=6.9 답 6.9 kg

물음에 답하세요.

농장에서 선아는 포도를 3.6kg 땄고, 시우는 1.7kg, 유나는 2.5kg 땄습니다. 세 사람이 딴 포도는 모두 몇 kg일까요?

3.6+1.7=5.3(kg), 5.3+2.5=7.8(kg) (7.8kg)

주스병에 주스가 1.8L 들어 있었습니다. 민서가 0.6L를 마시고, 준하가 0.5L를 마셨습니다. 남아 있는 주스는 몇 L일까요?

1.8−0.6=1.2(L), 1.2−0.5=0.7(L) (0.7L)

밀가루가 4kg 있었습니다. 그중에서 빵을 만드는 데 1.2kg 사용하였고, 빵을 만들고 나서 밀가루 0.5kg을 더 샀습니다. 지금 있는 밀가루는 몇 kg일까요?

4−1.2=2.8(kg), 2.8+0.5=3.3(kg) (3.3kg)

성우는 길이가 1.4m인 끈과 2.1m인 끈을 겹치는 부분 없이 이어 붙인 다음, 2.6m를 잘라 상자를 포장하는 데 사용했습니다. 지금 남은 끈은 몇 m일까요?

1.4+2.1=3.5(m), 3.5−2.6=0.9(m) (0.9m)

50 교과연산 D3 4주차. 소수 한 자리 수 계산 51

52·53쪽

70 조건 보고 추론하기

각 모양은 소수 한 자리 수를 나타냅니다. 각 모양이 나타내는 소수를 구해 보세요.

- ♥은 1이 2개, 0.1이 6개인 수입니다. ① ♥: 2.6
- ☆은 ♥보다 1.8 큰 수입니다. ② ★: 2.6+1.8=4.4
- ●은 ☆보다 3.2 작은 수입니다. ③ ●: 4.4−3.2=1.2

♥ (2.6) ☆ (4.4) ● (1.2)

구할 수 있는 소수부터 차례로 구해 봅니다. ① ♥: 2.6

- ♥은 ☆보다 0.7 큰 수입니다. ② ♥: 3.1+0.7=3.8
- ●은 ♥보다 2.9 작은 수입니다. ③ ●: 3.8−2.9=0.9
- ☆은 일의 자리 숫자가 3, 소수 첫째 자리 숫자가 1인 수입니다. ① ★: 3.1

♥ (3.8) ☆ (3.1) ● (0.9)

- ●은 5보다 1.3 작은 수입니다. ① ●: 5−1.3=3.7
- ♥은 ●보다 0.8 큰 수입니다. ② ♥: 3.7+0.8=4.5
- ☆은 ♥보다 2.6 작은 수입니다. ③ ★: 4.5−2.6=1.9

♥ (4.5) ☆ (1.9) ● (3.7)

- ♥은 ●보다 3.5 큰 수입니다. ③ ♥: 2.8+3.5=6.3
- ●은 ☆보다 0.7 작은 수입니다. ② ●: 3.5−0.7=2.8
- ☆은 1보다 2.5 큰 수입니다. ① ★: 1+2.5=3.5

♥ (6.3) ☆ (3.5) ● (2.8)

월 일

조건을 보고 물음에 답하세요.

설아는 출발점에서부터 몇 km를 달렸나요?

- 민석이와 설아가 1km 달리기를 하고 있습니다.
- 민석이는 0.3km 더 달리면 도착점에 도착합니다.
- 설아는 민석이보다 0.2km 뒤에 있습니다.

0.2km 0.3km
0 설아 0.5km 민석 0.7km 1km

(0.5km)

조건을 수직선에 나타낸 다음, 덧셈과 뺄셈을 이용하여 구하려는 것을 구합니다.

민석: 1−0.3=0.7(km), 설아: 0.7−0.2=0.5(km)

빨간색 끈은 노란색 끈보다 몇 m 더 긴가요?

- 파란색 끈은 1m보다 0.2m 더 짧습니다.
- 빨간색 끈은 파란색 끈보다 1.2m 더 깁니다.
- 노란색 끈은 파란색 끈보다 0.5m 더 짧습니다.

0.5m 0.2m
0 노란색 0.3m 파란색 0.8m 1m 1.2m 빨간색 2m

(1.7m)

노란색: 0.8−0.5=0.3(m), 빨간색: 0.8+1.2=2(m)
2−0.3=1.7(m)

54쪽

조건을 보고 물음에 답하세요.

나 물통에는 물이 몇 L 들어 있나요?

- 가 물통에는 물이 1.5L 들어 있습니다.
- 나 물통에는 다 물통보다 물이 2.6L 더 많이 들어 있습니다.
- 다 물통에는 가 물통보다 물이 0.8L 더 적게 들어 있습니다.

(3.3L)

다: 1.5−0.8=0.7(L), 나: 0.7+2.6=3.3(L)

시현, 영재, 다솔 삼형제의 키입니다. 영재는 다솔이보다 키가 몇 m 더 큰가요?

- 영재의 키는 1m보다 0.4m 더 큽니다.
- 시현이의 키는 영재보다 0.3m 더 큽니다.
- 다솔이의 키는 시현이보다 0.9m 더 작습니다.

(0.6m)

영재: 1+0.4=1.4(m), 시현: 1.4+0.3=1.7(m), 다솔: 1.7−0.9=0.8(m)
1.4−0.8=0.6(m)

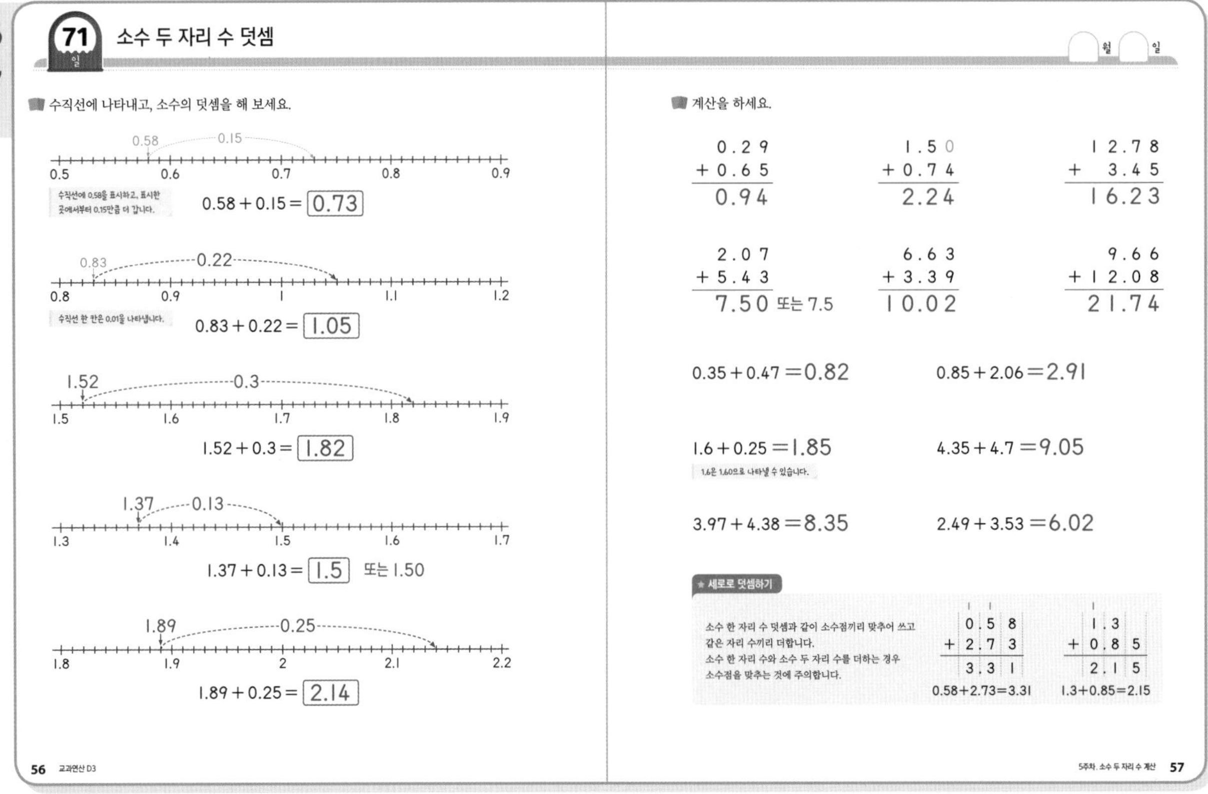

56•57쪽

71일 소수 두 자리 수 덧셈

■ 수직선에 나타내고, 소수의 덧셈을 해 보세요.

수직선에 0.58을 표시하고, 표시한 곳에서부터 0.15만큼 더 갑니다.

0.58 + 0.15 = 0.73

수직선 한 칸은 0.01을 나타냅니다.

0.83 + 0.22 = 1.05

1.52 + 0.3 = 1.82

1.37 + 0.13 = 1.5 또는 1.50

1.89 + 0.25 = 2.14

■ 계산을 하세요.

$0.29 + 0.65 = 0.94$

$1.50 + 0.74 = 2.24$

$12.78 + 3.45 = 16.23$

$2.07 + 5.43 = 7.50$ 또는 7.5

$6.63 + 3.39 = 10.02$

$9.66 + 12.08 = 21.74$

0.35 + 0.47 = 0.82

0.85 + 2.06 = 2.91

1.6 + 0.25 = 1.85

1.6은 1.60으로 나타낼 수 있습니다.

4.35 + 4.7 = 9.05

3.97 + 4.38 = 8.35

2.49 + 3.53 = 6.02

★ 세로로 덧셈하기

소수 한 자리 수 덧셈과 같이 소수점끼리 맞추어 쓰고 같은 자리 수끼리 더합니다.
소수 한 자리 수와 소수 두 자리 수를 더하는 경우 소수점을 맞추는 것에 주의합니다.

0.58+2.73=3.31

1.3+0.85=2.15

56 교과연산 D3

5주차. 소수 두 자리 수 계산 57

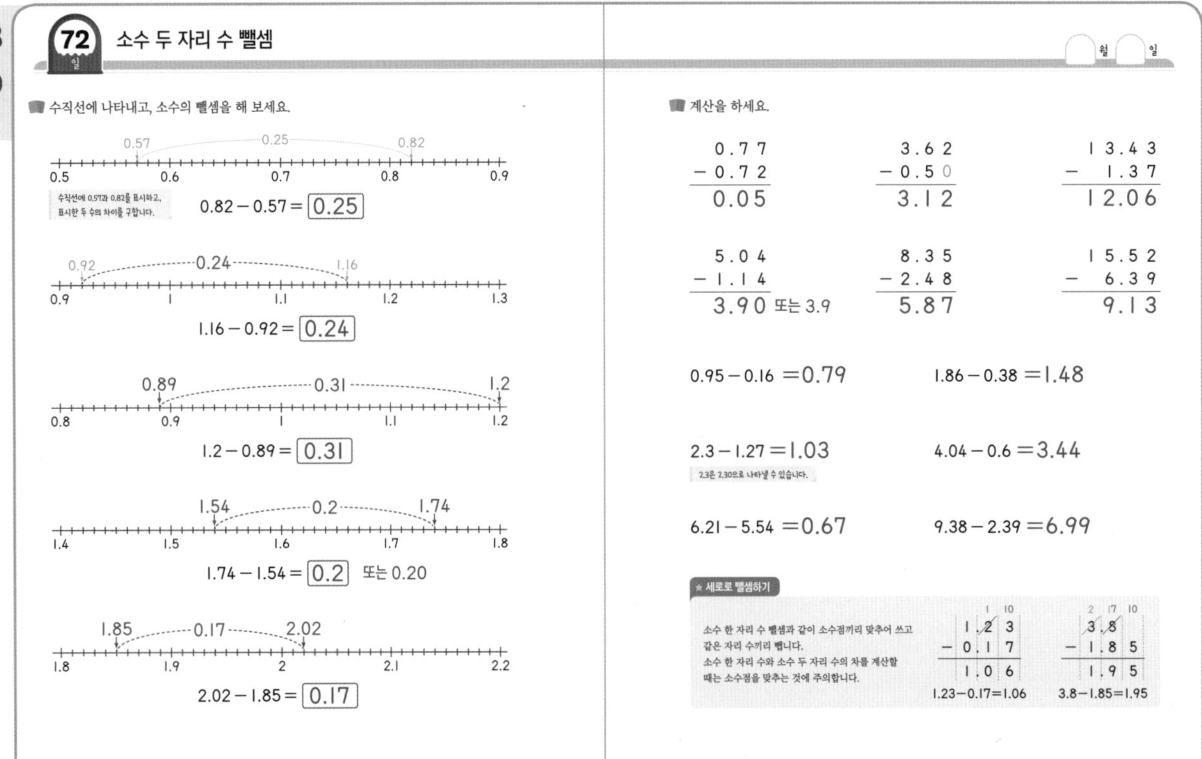

58•59쪽

72일 소수 두 자리 수 뺄셈

■ 수직선에 나타내고, 소수의 뺄셈을 해 보세요.

수직선에 0.57과 0.82를 표시하고, 표시한 두 수의 차이를 구합니다.

0.82 − 0.57 = 0.25

1.16 − 0.92 = 0.24

1.2 − 0.89 = 0.31

1.74 − 1.54 = 0.2 또는 0.20

2.02 − 1.85 = 0.17

■ 계산을 하세요.

$0.77 - 0.72 = 0.05$

$3.62 - 0.50 = 3.12$

$13.43 - 1.37 = 12.06$

$5.04 - 1.14 = 3.90$ 또는 3.9

$8.35 - 2.48 = 5.87$

$15.52 - 6.39 = 9.13$

0.95 − 0.16 = 0.79

1.86 − 0.38 = 1.48

2.3 − 1.27 = 1.03

2.3은 2.30으로 나타낼 수 있습니다.

4.04 − 0.6 = 3.44

6.21 − 5.54 = 0.67

9.38 − 2.39 = 6.99

★ 세로로 뺄셈하기

소수 한 자리 수 뺄셈과 같이 소수점끼리 맞추어 쓰고 같은 자리 수끼리 뺍니다.
소수 한 자리 수와 소수 두 자리 수의 차를 계산할 때는 소수점을 맞추는 것에 주의합니다.

1.23−0.17=1.06

3.8−1.85=1.95

58 교과연산 D3

5주차. 소수 두 자리 수 계산 59

60·61쪽

73일 두 수의 합과 차

설명하는 수를 구해 보세요.

0.57보다 1.32 큰 수 (1.89)	1.27보다 0.46 작은 수 (0.81)
3.6보다 1.74 큰 수 (5.34)	3.94보다 1.25 작은 수 (2.69)
2.96보다 5.05 큰 수 (8.01)	6.7보다 2.89 작은 수 (3.81)
9.35보다 4.8 큰 수 (14.15)	7.31보다 0.58 작은 수 (6.73)

빈칸에 알맞은 수를 써넣으세요.

[1].62 + 0.3[7] = 1.[9]9	0.[4]7 + [3].38 = 3.8[5]	4.[7] + 1.5[6] = [6].26
0.[8]9 + [0].63 = 1.5[2]	[2].58 + 4.4[5] = 7.[0]3	5.3[7] + 2.[7]7 = [8].14
1.[5]4 − [0].42 = 1.1[2]	[3].51 − 2.4[3] = 1.[0]8	5.[3]7 − [0].3 = 5.0[7]
6.1[2] − 6.[0]4 = [0].08	9.2[6] − [1].57 = 7.[6]9	[7].4 − 3.[6]8 = 3.7[2]

□가 있는 뺄셈은 덧셈으로 바꾸어 풀면 편리합니다.

예) □.51 − 2.4□ = 1.□8 → 1.□8 + 2.4□ = □.51

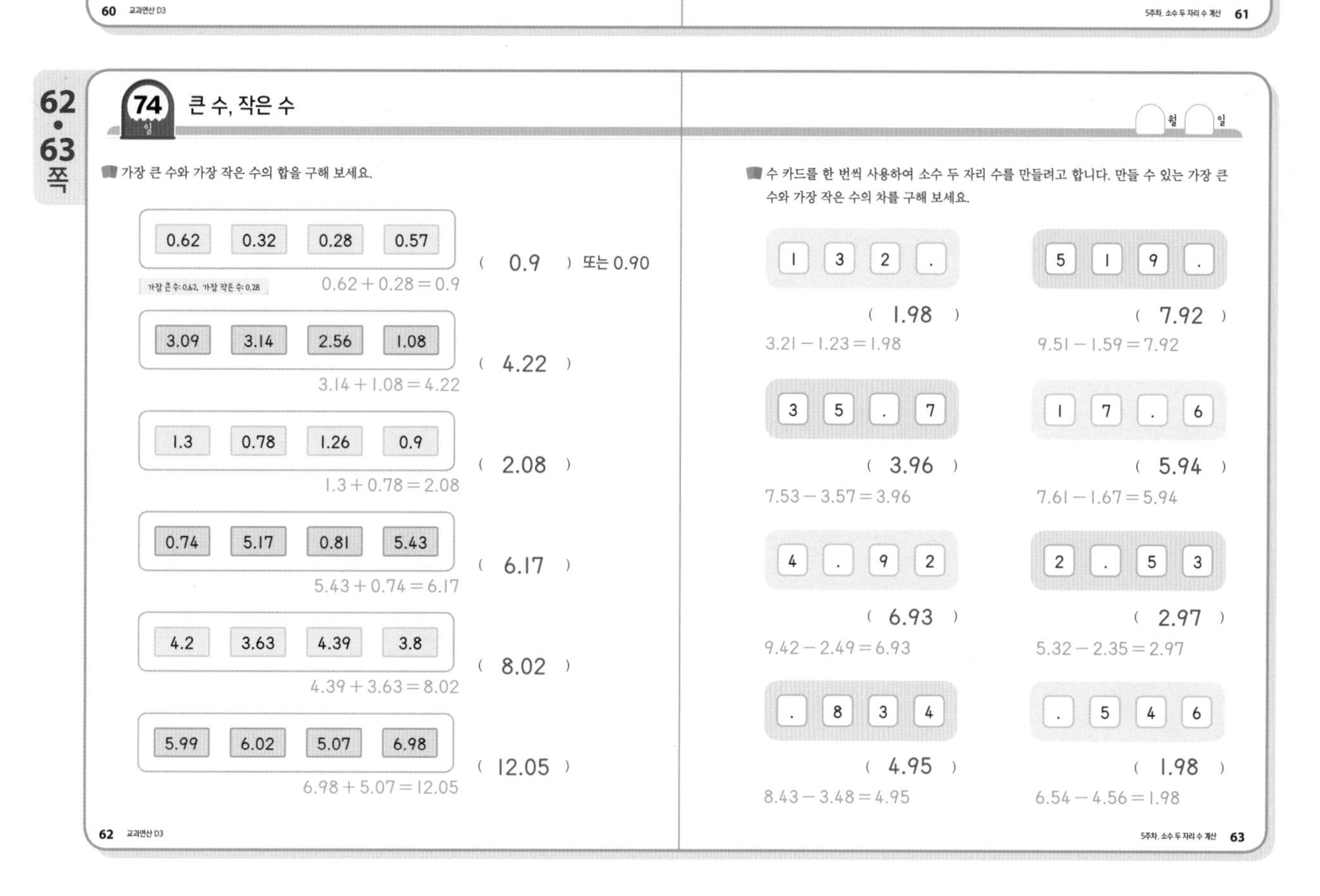

62·63쪽

74일 큰 수, 작은 수

월 일

가장 큰 수와 가장 작은 수의 합을 구해 보세요.

수 카드	답	풀이
0.62, 0.32, 0.28, 0.57	(0.9) 또는 0.90	가장 큰 수: 0.62, 가장 작은 수: 0.28 / 0.62 + 0.28 = 0.9
3.09, 3.14, 2.56, 1.08	(4.22)	3.14 + 1.08 = 4.22
1.3, 0.78, 1.26, 0.9	(2.08)	1.3 + 0.78 = 2.08
0.74, 5.17, 0.81, 5.43	(6.17)	5.43 + 0.74 = 6.17
4.2, 3.63, 4.39, 3.8	(8.02)	4.39 + 3.63 = 8.02
5.99, 6.02, 5.07, 6.98	(12.05)	6.98 + 5.07 = 12.05

수 카드를 한 번씩 사용하여 소수 두 자리 수를 만들려고 합니다. 만들 수 있는 가장 큰 수와 가장 작은 수의 차를 구해 보세요.

수 카드	답	풀이
1, 3, 2, .	(1.98)	3.21 − 1.23 = 1.98
5, 1, 9, .	(7.92)	9.51 − 1.59 = 7.92
3, 5, ., 7	(3.96)	7.53 − 3.57 = 3.96
1, 7, ., 6	(5.94)	7.61 − 1.67 = 5.94
4, ., 9, 2	(6.93)	9.42 − 2.49 = 6.93
2, ., 5, 3	(2.97)	5.32 − 2.35 = 2.97
., 8, 3, 4	(4.95)	8.43 − 3.48 = 4.95
., 5, 4, 6	(1.98)	6.54 − 4.56 = 1.98

62 교과연산 D3

5주차. 소수 두 자리 수 계산 63

64·65쪽

이야기하기

월 일

물음에 답하세요.

다인이의 키는 1.36m입니다. 주아는 다인이보다 0.16m 더 큽니다. 주아의 키는 몇 m일까요?

식 1.36+0.16=1.52 답 1.52 m

민규는 오전에 물을 0.55L 마시고, 오후에 0.86L 마셨습니다. 민규가 마신 물은 모두 몇 L일까요?

식 0.55+0.86=1.41 답 1.41 L

설탕이 2.4kg 있었습니다. 잼을 만들고 남은 설탕이 0.75kg입니다. 잼을 만드는 데 사용한 설탕은 몇 kg일까요?

식 2.4−0.75=1.65 답 1.65 kg

현수가 가방을 메고 체중계에 올라가 무게를 재었더니 39.26kg이었습니다. 가방의 무게가 3.52kg이라면 현수의 몸무게는 몇 kg일까요?

식 39.26−3.52=35.74 답 35.74 kg

물음에 답하세요.

주원이의 키는 128cm, 나온이의 키는 1.35m입니다. 나온이는 주원이보다 키가 몇 m 더 클까요?

cm 단위를 m 단위로 나타냅니다.
128cm = 1.28m
1.35−1.28=0.07(m)
(0.07m)

연석이가 등산을 했습니다. 산을 올라갈 때 1.53km, 산을 내려올 때 1760m 걸었다면 연석이가 등산을 하는 데 걸은 거리는 모두 몇 km일까요?

1760m = 1.76km
1.53+1.76=3.29(km)
(3.29km)

작은 물병에는 물이 750mL, 큰 물병에는 물이 1.8L 들어 있습니다. 두 물병에 들어 있는 물은 모두 몇 L일까요?

1L=1000mL
750mL = 0.75L
0.75+1.8=2.55(L)
(2.55L)

감자가 7400g 있었습니다. 요리를 하는 데 감자 2.25kg을 사용했습니다. 남은 감자는 몇 kg일까요?

7400g = 7.4kg
7.4−2.25=5.15(kg)
(5.15kg)

66쪽

물음에 답하세요.

집에서 빵집까지 가는 거리는 0.56km, 빵집에서 은행까지는 0.35km, 은행에서 우체국까지는 1.24km입니다. 집에서 빵집과 은행을 차례로 들러 우체국까지 가는 거리는 몇 km일까요?

0.56+0.35=0.91(km), 0.91+1.24=2.15(km) (2.15km)

귤과 사과가 들어 있는 바구니의 무게를 재었더니 8.58kg이었습니다. 귤의 무게가 2.03kg, 사과의 무게가 5.57kg이라면 바구니의 무게는 몇 kg일까요?

8.58−2.03=6.55(kg), 6.55−5.57=0.98(kg) (0.98kg)

물병에 물 1.6L가 있었습니다. 지유가 0.35L를 마시고 나서 물병에 물 0.47L를 더 부었습니다. 지금 물병에는 물이 몇 L 들어 있을까요?

1.6−0.35=1.25(L), 1.25+0.47=1.72(L) (1.72L)

하윤이는 고구마를 2.72kg, 지안이는 2.28kg 캤습니다. 두 사람이 캔 고구마 중에서 3.13kg을 먹었다면 남은 고구마는 몇 kg일까요?

2.72+2.28=5(kg), 5−3.13=1.87(kg) (1.87kg)

하루 한 장 75일
집중 완성

교과 연산

“연산을 이해하려면 수를 먼저 이해해야 합니다.”

“계산은 문제를 해결하는 하나의 과정입니다.”

“교과연산은 상황을 판단하는 능력을 길러줍니다.”

HERO